Collection folio junior en poésie

D1002654

Maquette de Karine Benoit

Présenté par

Jacques Charpentreau

LE RIRE
EN POÉSIE

Gallimard
Jeunesse

Va, chante ce qu'on n'ose écrire,
Ris, et qu'on devine ô chanson,
Derrière le masque du rire
Le visage de la raison.

Victor Hugo
(1802-1885). –
Ses convictions
politiques le
portèrent du
royalisme de son
adolescence à la
défense de la
République. Il eut
le courage de
s'opposer à la
dictature de
Napoléon III et
vécut vingt ans en
exil. Romancier,
homme de théâtre,
écrivain complet, sa
poésie a traité tous
les genres, tous les
styles : *Odes et
ballades*, 1826, *Les
Châtiments*, 1853,
Les Contemplations,
1856, *La Légende
des siècles*, 1859...

LES MOTS
S'AMUSENT

SUR LES BANCS (-NOTES) DE L'ÉCOLE

A l'école
On leur avait dit
Écoliers écolières
Vive l'épargne scolaire
Alors ils firent
Des économies
Et sur leurs carnets de notes
S'alignèrent
Dans toutes les matières
Des rangées de zéros
Exemplaires.

Joël Sadeler (né en 1939). — Il est professeur dans un collège et animateur en poésie. Son œuvre, allègre et souvent cocasse, est surtout connue pour cet humour bien particulier qui joue avec les mots, les images, faisant rire et réfléchir tout à la fois.

LES PUCES

A Pic-
     pus,
Les puces
     piquent.

À UN NAVIGATEUR SOLITAIRE

Malgré Zoé la blonde,
Tu voulais voir le monde.

Que n'as-tu cru Zoé,
Robinson Crusoé !

DAGOBERT

Par deux fois le roi Dagobert
A mis sa culotte à l'envers...

A la seconde le bon roi
Avait sa culotte à l'endroit.

Jean-Luc Moreau
(né en 1937). –
Il a donné de
remarquables
traductions de
poèmes étrangers,
principalement de
l'allemand, du
russe, du hongrois
et du finnois.
Lui-même a publié
plusieurs recueils :
Moscovie, 1964,
*Sous le masque des
mots*, 1974...

SI RUSSE

Lorsque tu vois un chat, de sa patte légère,
Laver son nez rosé, lisser son poil si fin,
Bien fraternellement embrasse ce félin.

Moralité :

S'il se nettoie, c'est donc ton frère.

Alphonse Allais (1854-1905). – Il est l'un des plus savoureux humoristes de notre littérature. Ses contes débordent de fantaisie et révèlent un comique de l'absurde très moderne.

CONSEILS À UN VOYAGEUR TIMORÉ QUI S'APPRÊTAIT À TRAVERSER UNE FORÊT HANTÉE PAR DES ÊTRES SURNATURELS

Par le bois du Djinn, où s'entasse de l'effroi,
Parle ! Bois du gin !... ou cent tasses de lait froid[1].

1. *Le lait froid, absorbé en grande quantité, est bien connu pour donner du courage aux plus pusillanimes.* (Note d'Alphonse Allais.)

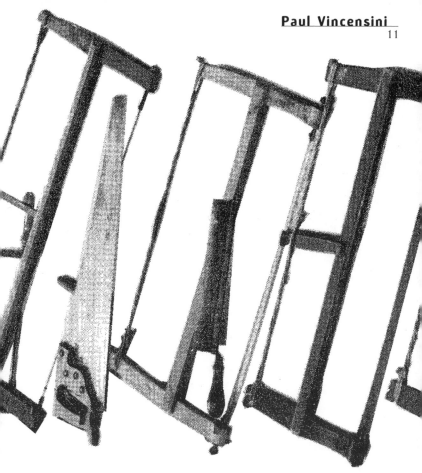

SI

Si tous les si
Avaient des scies
Je vous assure
Qu'on ne manquerait pas
Qu'on ne manquerait plus
De sciure
Pour nos confitures

Paul Vincensini (né en 1930). – Il fut l'éditeur du Club du poème et s'occupe avec zèle et passion de faire entrer la poésie à l'école. Mais cette activité ne saurait faire oublier le poète dont l'humour masque à peine une déchirante amertume.

CHARGE

Le chasseur
a pâli
quand le rhinocéros
a foncé.

LE POISSON VOLANT

Mon Dieu ! Donnez-moi des ailes
implorait le petit poisson ;
Et il fut à l'instant
exocet.

HORTICULTURE

On peut posséder
de magnifiques serres
sans pour cela
être un aigle.

Pierre Ferran (né en 1930). Il se partage entre l'enseignement et la poésie. Son œuvre est plaisante, variée, parfois tendre, toujours pleine d'humour (*Les Yeux*, 1971, *Les Urubus*, 1972, *Les Zoos effarés*, 1972, *Nous mourons tous des mêmes mots*, 1974, *Sans tambour ni trompette*, 1979).

LE PHOQUE

J'ai les yeux d'un vrai veau marin
Et de Madame Ygrec l'allure
On me voit dans tous les meetings
Je fais de la littérature
Je suis phoque de mon état
Et comme il faut qu'on se marie
Un beau jour j'épouserai Lota
Du matin au soir l'Otarie
   Papa Maman
Pipe et tabac crachoir caf' conc'
   Laï Tou

Guillaume **A**pollinaire (1880-1918). – Ce poète français était le fils d'un Italien et d'une Polonaise! Il sillonna l'Europe, puis s'établit à Paris où il se lia avec Picasso, Braque, Matisse et se consacra à la critique d'art. La publication d'*Alcools* (1913) marque le vrai début de la poésie du xxe siècle.

AMÉLIE
L'AMIE DU PANDA PADDY

Amélie se lie au panda Paddy
Le panda se pend au bras d'Amélie.

"Que fait ce panda pendu à ma fille ?"
s'écrie le papa pantois d'Amélie.

"Il ne faut pas rouler des yeux comme des billes"
lui répond Lili, la sœur d'Amélie.

Amélie aime mêler le panda Paddy
à l'heureuse vie qu'elle mène en famille.

Claude Roy (1915-1997). – Romancier, critique, grand voyageur, très attentif au monde contemporain et à tout ce qui peut entraver la liberté humaine, Claude Roy a composé de délicieux poèmes pour enfants, *Enfantasques.*

SUPPOSONS UNE SUPPOSITION

Suppose et supposons une supposition :
que le mot *ver luisant* se prononce *escarcelle*,
que le mot *chocolat* se prononce *violon*,
que le mot *tirelire* se prononce *hirondelle*.

Les dictées tout à coup ont un air bien bizarre.
On regarde voler les tirelires en l'air,
On regarde briller l'escarcelle très tard,
On mange à son goûter du pain et du violon.

Tu me dis *baluchon* : ça veut dire *grosse bête*.
Fourbi ? C'est un poisson. *Lézard* ? Saule pleureur.
Les mots ne savent plus où donner de la tête :
friture de fourbis, ou lézard rose en fleurs ?

Est-ce escarcelle ou escargot ? Est-ce cargo
ou tire-l'air, ou tire-l'eau, ou tire-d'aile ?
Est-ce chacal ou chocolat ? Est-ce hirondelle ? Est-ce rondeau ?
Est-ce vol-au-vent ? Est-ce violoncelle ?

Si on commence à faire trop de suppositions
tout s'en va de travers et rien ne va plus droit :
personne ne demande aux mots la permission
et je signe *Hérisson* – qui veut dire : *Claude Roy*.

LE QUAI LEMBOUR

Au bout du quai d'Austerlitz
on crie : il faut se taire, Liszt
au bout du quai de Béthune
y a peut-être une bête, une !
au bout du quai dit d'Anjou
un sale type vous met en joue
au bout du quai de l'Horloge
frissonne qui dehors loge
au bout du quai Arouet-Voltaire
des pigeons qui volent errent
au bout du quai de Passy
on donne le la et pas si
au bout du quai du Point-du-jour
aube, où donc est ?
aube, où donc est ?

Raymond
Queneau (1903–
1976). – Romancier,
il a connu un très
grand succès avec
Zazie dans le métro
(1959). Sa poésie
atteint le grand
public grâce à la
chanson (*Si tu
t'imagines*). Son
œuvre est
importante : humour
léger, jeu sur les
mots mais aussi
inquiétude
profonde sur la vie
et la destinée.

L'EMPEREUR ET LE PÉDAGOGUE
TRADITION DU BAS-EMPIRE

– Eh bien, que fait mon fils ? dit Héliogabale.
– Sire, il fait des progrès. – Récompense-le, gas.
Un autre jour : Eh bien ? – Sire, il fait des dégâts,
Trouble la classe, rit, chante et lit haut. – Gas, bats-le !

LE CHÂTEAU DE TUILEPLATTE

Au château de Tuileplatte
La révolution éclate.

J'ai trouvé
Vrai de vrai

Le poulet
Dans le lait.

Le lapin
Dans le vin.

Le cochon
Dans le charbon.

Le cheval
Dans le bocal.

Le chevreau
Dans le pot.

Le dindon
Sur l'édredon.

L'hirondelle
Dans le sel.

Le pigeon
Dans le son.

La tortue
Dans le bahut.

La grenouille
Dans les nouilles.

La souris
Dans le riz.

Et le chat
Tra la la,
Dans le plat
De rutabaga.

Glyraine (1900-1976). – C'est le pseudonyme d'Armand Got. Ses anthologies poétiques lui valurent une grande célébrité (*La Poèmeraie*, avec Charles Vildrac, *Pin Pon d'Or*)...

LE COL DU FÉMUR

Le col du fémur
Est dur à traverser
Tout perclus de nuées
Le ciel à ras de terre
Plein de neige l'hiver
Et de brigands l'été.
Des ronces, mais pas de mûres
Des loups avec des dents
Des arbres sans ramures
Des rochers et du vent,
Quelques champs de guimauve
Des souris toutes chauves
Une grande âpreté !

Mon grand-père en velours
Y grimpant un beau jour
(Grand-père est culotté !)
Ce qui fut ma grand-mère a soudain rencontré.

Bien que très essoufflés :
– C'est toi, dit mon grand-père !
– C'est toi, dit ma grand-mère !
Et dans l'air distillé
On entendit voler une oie...

C'est fou ce qu'ils se plurent
Sur le col du fémur !
Et des mamures et des mamures
Qu'ils se firent
A l'ombre nulle des ramures.

René de Obaldia (né en 1918). – Romancier et auteur dramatique, René de Obaldia a également publié des recueils de poèmes (*Les Richesses naturelles*, 1952 ; *Innocentines*, 1969). Il nous conduit dans un univers poétique où l'écriture jongle avec les images et les mots.

Quand ils redescendirent
Ils étaient mariés.
Mon grand-père a beau dire
Vive la marche à pied !

Il m'a tout raconté
De cet exploit guerrier
Et me raconte encore
Maints détails qui l'honorent.

Le temps le temps a passé
Depuis cette haute aventure.
Pour mon grand-père invétéré
Qui roule maintenant en petite voiture
Le temps le temps n'est plus le temps
Le temps a perdu tout son sang
Le temps s'est bonnement cassé
Sur le col du fémur.

Et quand le ciel devient bouché
Qu'on mettrait pas un chat dehors,
De sa veste en velours il sort
Une vieille carte d'État-Major.
Alors, m'indiquant de son doigt
Et avec les yeux de la Foi
Un point qu'est pour le moins obscur :
– Te faudra des chaussures
Sérieusement cloutées,
Revêtir une armure

Et prendre ton épée.
Quand tu verras là-haut
La femme qu'il te faut
Surtout, pas la lâcher.
Oui, bien te harnacher
Ceinture de flanelle et graines de séné,
Car le col du fémur
Est dur à traverser...

. . . .
... ronces mais pas de mûres...

. . . .
Guimauves...
        ... toutes chauves...

. . . .

– Allez, Pépé
Prends ton sirop de pois cassés
Et va te coucher !

ALPHABÈTE

A mal famé, B comme bouche
C trop souvent aveuglément cité
et D au plus fort prix cédé
comme E au cœur du pays des autruches,
F rangé bien ou mal, G latine,
H, ah ! landais, jamais ne vous vis I rité !
J rat faux, K rat fond, L et moi, M et vous,
N hervé, O pérette, on n'est pas du P roux,
Q rit aux "ite", R nie être anglais,
U manie terre et V voir I,
W, X, Y ne sont pas raisonnables,
Z deux grands bœufs dans mon étable.

Voulez-vous parlons d'autre chose
Il y a des esprits moroses
Des esquimaux des ecchymoses

Desnos disait *des maux exquis*
Il neige sur les mots en ski
    Chez qui chez qui

On ne meurt plus que de cirrhose
On ne lit plus que de la prose
On s'en paye une bonne dose

Desnos disait que c'est la vie
La prose et peignait au lavis
    Ce bel avis

Le dernier poème où l'on cause
Le dernier laïtou qu'on ose
Où ai-je mis le sac à Rrose

Desnos ne vous a pas dit tout
Ni pourquoi les jolis toutous
    Vont à Chatou

Il faut prendre à petite dose
Les lapins animaux qu'on pose
Dans les bois de Fausse-Repose

Si l'on veut les points sur les i
On a perdu la poésie
    A Vélizy

C'est par un matin de nivôse
Sur l'autoroute l'auto rose
D'un oto-rhino l'on suppose

En passant qui laissa tomber
Dans un numéro de *Libé*
Le beau bébé

L. Aragon *

Louis Aragon (1897-1982). – Il fut l'un des fondateurs du surréalisme. Puis il se tourna vers l'engagement politique et adhéra en 1936 au parti communiste. La guerre de 1939-1945 l'amena à devenir le poète national de la Résistance à l'occupation allemande et au nazisme avec *Le Crève-cœur* (1941), *Les Yeux d'Elsa* (1942) et *Le Musée Grévin* (1943). Il consacra à Elsa Triolet, son épouse et sa muse, plusieurs recueils.

COLÈRE

T'es-tu,
T'es-tu dit,
Têtu !
Que tu m'importunes ?
Têtu, dis !
Têtu !
T'es-tu dit
Que tu roucoules pour des prunes,
T'es-tu dit,
Têtu,
Que tu m'amuses,
Toi qui muses,
Et que tes muses
M'exaspèrent ?
T'es-tu dit,
Têtu,
Que tu m'uses
Et me désespères ?
Tu dis, têtu, que tu m'aimes ?
Chanson, baratin, poème !
Et que fais-tu,
Fêtu ?
Va-t'en !
Attends,
Têtu !
Que je te dise, moi,
Que tu, que tu,
Que tu me tues
Têtu !
Têtu !
Tais-toi !

Jean Desmeuzes (né en 1931) est enseignant et poète. Certaines de ses œuvres sont proches de la chanson par leur valeur musicale et leur harmonie (*La Lampe-tempête*, 1954, *Nocturnes*, 1966, *Préludes et chansons, 1966, Jeux interdits*, 1976).

BAL COSTUMÉ

Valses en fa ou en ré
Valses en fée ou en rat

MUSIQUE DU SILENCE

Sonate en sol pour harpe et cor
Sonate en cor pour carpe et sole

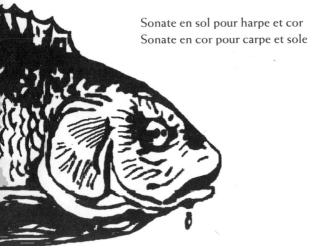

MUSIQUE CONCRÈTE

Quintette à bouche de Mozart
Quintette à bouse de moche art

LES CHASSEURS

Partita pour hautbois et instruments à vent
Partis tôt pour abois, bave et instruments à sang

FESTIVAL BRITANNIQUE

Fantaisie pour l'orgue avec harpes et cors anglais
Fantaisie pour orgue avec carpes et lords anglais

Lucienne
Desnoues (née
en 1921). – De son
enfance, elle a
gardé le goût pour
la nature, les
plantes et la terre.
Sa poésie est riche
d'images, de
fantaisie, mais
elle se coule dans
une versification
traditionnelle,
habile et raffinée
(*Les Ors*, 1966,
La Plume d'oie,
1971, *Le Compotier*,
1982).

MUSIQUE FIÉVREUSE

Sonatine de Scarlatti
Scarlatine de nos Satie

On dit : "bête comme une oie",
Mais moi, j'en ai vu, des oies,
Qui parlaient latin, chinois !

On dit : "sournois comme un chat",
Mais mon matou Attila
Tricote aux souris des bas !

On dit : "crier comme un veau",
Mais celui de Marengo
Chantait mieux que Caruso !

On dit : "fort comme un taureau",
Mais, à la ferme, Noirau
Pèse à peine trois kilos !

On dit : "sale comme un porc",
Mais le cochon, dans le Nord,
Change de peau quand il sort !

On dit ci et on dit ça,
Tantôt couci, puis couça
Et patati et patata :
Vraiment, on dit n'importe quoi !

Marc Alyn (né en 1937). – Il s'est volontairement retiré de Paris, dans "un exil émerveillé", pour se consacrer entièrement à la poésie. Son œuvre s'inspire de la nature, de la destinée et de l'amour (*Brûler le feu*, 1959).

POUR FAIRE UN POÈME DADAÏSTE

Prenez un journal.

Prenez des ciseaux.

Choisissez dans ce journal un article ayant la longueur
que vous comptez donner à votre poème.

Découpez l'article.

Découpez ensuite avec soin chacun des mots qui
forment cet article et mettez-les dans un sac.

Agitez doucement.

Sortez ensuite chaque coupure l'une après l'autre.

Copiez consciencieusement

dans l'ordre où elles ont quitté le sac.

Le poème vous ressemblera.

Et vous voilà un écrivain infiniment original

et d'une sensibilité charmante, encore qu'incomprise
du vulgaire.

Tristan Tzara
(1896-1963). –
Venu de Roumanie,
il crée à Zurich un
mouvement
littéraire que par
dérision il appelle
"Dada". Il se mêle
au groupe des
surréalistes puis il
se tourne vers
l'engagement
politique. En dehors
des *Sept
manifestes dada*, le
meilleur de son
œuvre se trouve
réuni dans *L'Homme
approximatif* (1931)
et *Midi gagnés*
(1935-1938).

CURIEUX
PERSONNAGES

L'OGRE

J'ai mangé un œuf,
Deux langues de bœufs,
Trois rôts de mouton,
Quatre gros jambons,
Cinq rognons de veau,
Six couples d'oiseaux,
Sept immenses tartes,
Huit filets de carpe,
Neuf kilos de pain
Et j'ai encor faim.
Peut-être, ce soir,
Vais-je encor devoir
Manger mes deux mains
Pour avoir enfin
Le ventre bien plein.

Maurice Carême
(1899-1978). –
Après avoir été
instituteur, il se
consacre à la
poésie (*Chansons
pour Caprine*, 1930,
*La Lanterne
magique*, 1947).
Il est bien connu
des écoliers pour
qui il a écrit une
large part de son
œuvre. Dans une
langue classique et
dépouillée, il chante
la joie de vivre.

IL FAUT ÊTRE À LA PAGE

Mon ami Christian
n'est pas un anti "dans le vent"
c'est au contraire un nanti dans le vent.
Il nettoie ses dents
au Gardol ou à l'Hexachlorophène
ou il emploie le Fluocaril bi-fluoré
et, parfois, bien sûr, Beosystem 901,
avec deux Beovox 901
qui sont des modules d'évasion,
sans compter le beogram 4 000 X TRJ de Philips.
Quant à sa télé,
c'est une Thomson Pil
à tube auto-convergent.
Il fait dix minutes de Slendertone
chaque matin
puis se détend avec Peritel ML 200
Il utilise William
car quand il n'a plus de mousse
il reste la lanoline
et se barbouille de crème Atrix
qui contient des silicones.
Il lave ses cheveux à la Polleine
et à Polleine-Plus par Phytothérathine
car c'est un volumateur à cheveux fins.
Et Claude, sa femme,
ne mélange pas les produits
qui nettoient le linge, les éviers,
les carreaux, les sols, les waters,
la robinetterie, les casseroles,
la vaisselle, les verres
car il ne faut pas se tromper

et ce n'est plus comme dans le temps
où il n'y en avait qu'un.
Elle possède un Sauter,
le seul four à Pyrogène.

Claude et Christian, mes amis,
tout leur réussit dans la vie
c'est un ménage uni
qui est de son temps.
Ce sont des gens de maintenant
qui vont de l'avant,
et, quand ils partent en vacances,
ils n'oublient pas leur Agfamatic,
le seul équipé du sensor
et du Repitomatic.

L'ÉCLAIR AU CHOCOLAT

Dans l'éclair au chocolat
ce qui est sur le dessus
et ce qui est à l'intérieur
ça n'a pas la même couleur.
Le dessus ressemble à du chocolat
mais pas le dedans.
On est aussi souvent chocolat
avec des gens qu'on ne connaît pas.

Jean l'Anselme
(né en 1919). —
Sa poésie est
souvent amusante,
toujours pleine
d'humour et d'une
secrète tendresse
(*Le Tambour de
ville*, 1948; *Le
Chemin de lune*,
1952, *Il fera beau
demain*, 1953...).

NAÏF

– Je stipule,
dit le roi,
que les grelots de ma mule
seront des grelots de bois.

– Je stipule,
dit la reine,
que les grelots de ma mule
seront des grelots de frêne.

– Je stipule,
dit le dauphin,
que les grelots de ma mule
seront en cœur de sapin.

– Je stipule,
dit l'infante,
élégante,
que les grelots de ma mule
seront faits de palissandre.

– Je stipule,
dit le fou,
que les grelots de ma mule
seront des grelots de houx.

Mais, quand on appela le menuisier,
Il n'avait que du merisier.

Maurice
Fombeure
(1906-1981). –
Ce professeur de
lettres, après un
détour du côté des
surréalistes, a
retrouvé le goût
des choses vraies,
celles du terroir,
mais sans jamais
sacrifier son amour
des jeux de mots,
du cocasse et de la
pureté de la
langue. (*Silence sur
le toit*, 1930, *A dos
d'oiseau*, 1942, *Aux
créneaux de la
pluie*, 1946, *A chat
petit*, 1967)

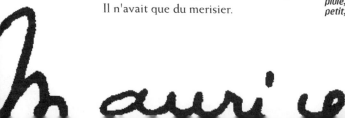

À L'OPÉRA

Ma cousine Irma
Chantait *Aïda*
Un soir de gala
   A l'Opéra,
Quand elle avala
Sans prendre garde à
Ce qu'elle fit là
   Un contre-fa.
Dans ce triste état
Elle ne put pas
Finir *Aïda* :
   On l'opéra.
Depuis ce jour-là,
Ma cousine Irma
Déteste *Aïda* :
   Beau résultat !
On se méfiera
De ces contre-fa
Qui traînent par là
   A l'Opéra.

Jacques
Charpentreau
(né en 1928). –
D'abord instituteur,
puis professeur,
il a écrit des
romans et poèmes
pour les enfants
(*La Ville enchantée*,
1976, *Paris des
enfants*, 1978).
Il est également
l'auteur de
nombreuses
anthologies
(*Poèmes
d'aujourd'hui pour
les enfants de
maintenant*, 1958).

LA FORCE DE L'HABITUDE

Une jeune fille récite un poème
Je n'aime pas le poème
mais je crois que j'aime la jeune fille
alors j'y vais de bon cœur
j'applaudis à tout casser...
Quand on a fini de déblayer les décombres
la jeune fille se relève
tant bien que mal
et repoussant les brancardiers
m'apostrophe durement
me laissant entendre
que c'est très beau de s'enthousiasmer
sympathique et tout
mais qu'au moment où je l'ai interrompue
elle avait encore sept cent quatre-vingt-huit vers à dire
et que j'aurais pu au moins
attendre la fin...

LES DEUX CHAUVES

Un jour deux chauves dans un coin
Virent briller certain morceau d'ivoire :
Chacun d'eux veut l'avoir! dispute et coups de poing.
Le vainqueur y perdit, comme vous pouvez croire,
Le peu de cheveux gris qui lui restaient encor.
Un peigne était le beau trésor
Qu'il eut pour prix de sa victoire.

Jean-Pierre Claris
de Florian (1755-
1794). – Petit-
neveu de Voltaire,
Florian fut un
auteur prolifique
dans le genre
"pastoral"; il
écrivit des romans
et des pièces de
théâtre. Mais il est
resté célèbre pour
ses *Fables* (1792)
dont beaucoup ne
sont pas inférieures
à celles de son
prédécesseur La
Fontaine.

LE PARESSEUX

Accablé de paresse et de mélancolie,
Je rêve dans un lit où je suis fagoté,
Comme un lièvre sans os qui dort dans un pâté,
Ou comme un Don Quichotte en sa morne folie.

Là, sans me soucier des guerres d'Italie,
Du comte Palatin, ni de la royauté,
Je consacre un bel hymne à cette oisiveté
Où mon âme en langueur est comme ensevelie.

Je trouve ce plaisir si doux et si charmant,
Que je crois que les biens me viendront en dormant,
Puisque je vois déjà s'en enfler ma bedaine,

Et hais tant le travail que, les yeux entrouverts,
Une main hors des draps, cher Baudoin, à peine
Ai-je pu me résoudre à t'écrire ces vers.

Marc-Antoine Girard de Saint-Amant (1594-1661). – Il est l'un des grands poètes du XVIIe siècle. En plein triomphe du style classique, ce bon vivant, grand voyageur, apporte à la poésie de l'époque une verve, un goût très rabelaisien du bien boire et du bien manger, en même temps que des accents nouveaux dans le registre fantastique.

MODESTE

Parfois, mes amis boudent, me font grise mine
Et me tournent le dos. Pour lors, je m'examine.
Par exemple, je crois qu'on me dit prétentieux.

Non vraiment, blague à part : je n'ai pas l'air modeste ?

Prétentieux ! Pas de reproche plus fallacieux !
Je ne juge jamais, ne tranche ou n'incrimine !
Sur les autres, jamais mon avis ne domine !
(Pourtant, presque toujours, c'est le plus judicieux.)

Objectivement, moi, je me trouve modeste.

Bien plus : considérez tel autre qui proteste
Et qui, probablement, se voit plus-que-parfait.
Écoutez-le parler ; sans cesse il admoneste,
Conseille, contredit, exhorte, manifeste !
Et c'est moi qu'on vient accuser de ce forfait ?

Jacques Bens
(né en 1928). –
Membre de l'Oulipo
(OUvroir de
LIttérature
POtentielle), il est
très attiré par les
jeux et les règles
poétiques. Dans
ses *41 Sonnets
irrationnels* (1965),
il a inventé une
nouvelle disposition
des quatorze vers
du sonnet : la
structure des
strophes (3 vers,
puis 1, 4, 1, 5) suit
les chiffres du
nombre pi (pi =
3,1415...).

LE KÉPI

— Fixe !
ordonna le général
au poète.
Et le poète fixa
avec intensité
le képi du général
en criant "liberté !"...
Alors vers le ciel cinq étoiles filèrent...

MOTIF

Il a été licencié du Cirque...
Lui qui prenait grand plaisir
à marcher sur les mains...
Sur les mains de ceux
qui marchaient sur les mains.

Marjan (né en 1918). — Il a pris le pseudonyme de Marjan en 1949, avec son premier recueil, *J'ai pris le parti d'en rire*. Ses petits poèmes (des "marjaneries", dit-il) sont des chefs-d'œuvre d'humour, mais qui n'empêchent pas l'émotion ni la prise de position généreuse (*Humour*, 1952, *Un petit vent de liberté*, 1962...)

NOCTURNE

Quand j'ai dansé jusqu'à minuit
la cornemuse a mis ses bottes
quand j'ai payé pour un ouisqui
le revolver a mis sa cape
quand j'ai réclamé un taksi
le réverbère a mis son col
quand j'ai traversé tout Paris
la lune a mis sa veste blanche
et quand je fus près de Neuilly
je mis mes jambes à mon cou

Roland Bacri

INAUGURATION

Ouvrez le ban !...
Fermez le ban !...

Dans un silence général, le Ministre
de la Guerre pose la première bière
du futur grand cimetière militaire.

Roland Bacri
(né en 1926). –
Il publie
régulièrement dans
l'hebdomadaire
Le Canard enchaîné
de courts poèmes
satiriques qu'il
signe du
pseudonyme
de "Petit poète".
En 1964, il fait
paraître *Opticon et
classiques transis*,
recueil de poèmes
dans lequel il
multiplie pastiches
et calembours.

CULTURE PHYSIQUE

Il fait de la culture physique
pour développer sa cage thoracique...
Vraiment, sa poitrine manque de dimensions
Elle ne peut porter toutes ses décorations !

LES TEMPS DIFFICILES

Un marchand de canons
avait des soucis
(qui n'en a pas ?)
Son chiffre d'affaires
baissait, baissait
— était dérisoire, en somme.

Je ferais mieux de vendre
des scies ou des rasoirs,
disait-il à son président
président directeur général.

Et le monstre, honnête commerçant,
pour soulager
soulager sa peine et sa misère
faisait une prière
prière quotidienne
pour que
pour que la guerre
la guerre
la guerre enfin, quoi
la guerre arrange, mais oui,
arrange ses affaires
ses petites affaires
qui baissaient, qui baissaient
dans un monde
un monde si difficile,
si difficile à vivre
aujourd'hui.

Jules Mougin (né
en 1902). — Tout
en étant facteur
dans le Vaucluse,
Jules Mougin a écrit
une œuvre solide
et simple, où le brio
et la cocasserie
s'allient à
l'émotion, voire à
une généreuse
indignation
(*Poèmes, lettres et
cartes postales*,
Faubourg, 1945).

D'UNE LUNE À L'AUTRE

Ne vous dérangez pas pour nous,
      Laïtou.
Nous passons à toute vitesse ;
Un petit bonjour et c'est tout.
Salut, Julot, salut, comtesse,
      Laïtou.
Non, rien de spécial à vous dire,
Nous filons à toute vitesse,
      Laïtou.
On voulait vous faire un sourire
      Et c'est tout.

Geo Norge (1898-1990). – Poète belge d'expression française, il s'inscrit dans la lignée de Rabelais, Jarry et Queneau. Pleins d'humour et de verve, ses poèmes ont été regroupés en 1978 dans un gros volume d'*Œuvres poétiques*.

*(La première voix est ténorisante, maniérée,
prétentieuse ; l'autre est rauque, cynique et dure.)*

Je suis ravi de vous voir
bel enfant vêtu de noir.

— Je ne suis pas un enfant
je suis un gros éléphant.

Quelle est cette femme exquise
qui savoure des cerises ?

— C'est un marchand de charbon
qui s'achète du savon.

Ah ! que j'aime entendre à l'aube
roucouler cette colombe !

— C'est un ivrogne qui boit
dans sa chambre sous le toit.

Mets ta main dans ma main tendre
je t'aime ô ma fiancée !

— Je n'suis point vot' fiancée
je suis vieille et j'suis pressée
laissez-moi passer !

Jean Tardieu
(1903-1996). —
Directeur des
programmes de
France-Musique, il
fut en même temps
auteur dramatique
et poète. Dans ses
pièces comme dans
sa poésie (*Le
Fleuve caché*, 1933,
Accents, 1939,
Monsieur Monsieur,
1951...) apparaît un
goût très vif pour
les jeux multiples
du langage.

AU CIEL

"Hé, là-bas !" s'écria saint Pierre,
"Qui frappe à l'huis du Paradis ?
– Oh ! c'est l'âme d'un pauvre hère,
Mon bon Monsieur !" que je lui dis.

— "Vous croyez qu'on entre peut-être
Ici comme dans un moulin ?
– Vous êtes si bon, mon doux maître..."
Repris-je en faisant le câlin.

— "Taisez-vous ! On ne peut me plaire
Par des douceurs ni des cadeaux.
C'était bon avec leur Cerbère
Qu'on prenait avec des gâteaux !

"Je suis un portier sans faiblesse.
Répondez : sur terre, là-bas,
Alliez-vous entendre la messe ?
– Pas souvent", lui dis-je tout bas.

— "On sait ce que cela veut dire,
Pas souvent ! Mais notre bon Dieu
Est partout. Cela peut suffire
De l'adorer hors du saint lieu.

"Lui faisiez-vous votre prière
En vous couchant ? – En me couchant ?
Je ne me souviens pas, saint Pierre,
Mais peut-être bien qu'en cherchant...

— "Hum !... Enfin !... Et la bonne chère ?
— Je l'aimais assez... — Et le vin ?
— La bouteille aussi m'était chère.
— Bûtes-vous trop ? — Cela m'advint.

— "Mais vous viviez comme un infâme !
Et la vertu ?... — Dame, j'aimais
Toujours une petite femme !
— Était-ce la même ? — Jamais !

"Que la dernière était jolie !
On s'en allait, sur les gazons,
Par les dimanches de folie,
On s'en allait... — C'est bien ! Gazons !

"Et vous avez encor l'audace
De me dire ça sous le nez ?
Pour vous nous n'avons pas de place :
Allez-vous-en chez les damnés !

"Oh ! là-bas on vous fera fête,
Monsieur le... Tiens, au fait, qu'avez-
Vous été sur la terre ? — Poète.
Je faisais des vers, vous savez.

— "Hein ? Poète ?..." Alors m'ouvrant vite :
"Pourquoi, fit-il d'un ton plus doux,
Ne l'avoir pas dit tout de suite ?
Entrez donc ! Vous êtes chez vous."

Edmond Rostand (1868-1918). – Grâce à son théâtre en vers (*L'Aiglon*, *Chantecler*, et surtout *Cyrano de Bergerac*) Edmond Rostand acquit une très grande popularité. Il fut également l'auteur d'un recueil poétique, *Les Musardises* (1911).

LE HARENG SAUR

Il était un grand mur blanc – nu, nu, nu,
Contre le mur une échelle – haute, haute, haute,
Et, par terre, un hareng saur – sec, sec, sec.

Il vient, tenant dans ses mains – sales, sales, sales,
Un marteau lourd, un grand clou – pointu, pointu, pointu,
Un peloton de ficelle – gros, gros, gros.

Alors il monte à l'échelle – haute, haute, haute,
Et plante le clou pointu – toc, toc, toc,
Tout en haut du grand mur blanc – nu, nu, nu.

Il laisse aller le marteau – qui tombe, qui tombe, qui tombe,
Attache au clou la ficelle – longue, longue, longue,
Et, au bout, le hareng saur – sec, sec, sec.

Il redescend de l'échelle – haute, haute, haute,
L'emporte avec le marteau – lourd, lourd, lourd ;
Et puis, il s'en va ailleurs – loin, loin, loin.

Et, depuis, le hareng saur – sec, sec, sec,
Au bout de cette ficelle – longue, longue, longue,
Très lentement se balance – toujours, toujours, toujours.

J'ai composé cette histoire – simple, simple, simple,
Pour mettre en fureur les gens – graves, graves, graves,
Et amuser les enfants – petits, petits, petits.

Charles Cros
(1842-1888). –
Autodidacte en
langues orientales,
sciences
mécaniques et
physiques, il mena
de pair des travaux
scientifiques et une
œuvre littéraire.
Précurseur du
phonographe, il le
fut également du
surréalisme, en
littérature, avec
une poésie
saugrenue, cocasse
et d'une parfaite
lucidité.

La petite Marie
aima beaucoup
les marionnettes

jusqu'au jour
où elle découvrit
les ficelles.

Alors elle fit
semblant d'y croire
pour faire plaisir
à ses parents.

Madeleine Le
Floch. – On lui
doit de charmants
*Petits contes verts
pour le printemps
et pour l'hiver*
(1975).

CARCASSONNE

Je me fais vieux, j'ai soixante ans,
J'ai travaillé toute ma vie,
Sans avoir, depuis tout ce temps,
Pu satisfaire mon envie.
Je vois bien qu'il n'est ici-bas
De bonheur complet pour personne ;
Mon vœu ne s'accomplira pas :
Je n'ai jamais vu Carcassonne !

On voit la ville de là-haut,
Derrière les montagnes bleues ;
Mais, pour y parvenir, il faut...
Il faut faire cinq grandes lieues ;
En faire autant pour revenir !
Ah ! si la vendange était bonne !...
Le raisin ne veut pas jaunir :
Je ne verrai pas Carcassonne !

On dit qu'on y voit tous les jours,
Ni plus ni moins que les dimanches,
Des gens s'en aller sur le cours
En habits neufs, en robes blanches.
On dit qu'on y voit des châteaux
Grands comme ceux de Babylone,
Un évêque et deux généraux !
Je ne connais pas Carcassonne !

Le vicaire a cent fois raison :
C'est des ambitieux que nous sommes.
Il disait dans son oraison
Que l'ambition perd les hommes.
Si je pouvais trouver, pourtant,
Deux jours sur la fin de l'automne,
Mon Dieu, que je mourrais content
Après avoir vu Carcassonne !

Mon Dieu ! Mon Dieu ! pardonnez-moi
Si ma prière vous offense :
On voit toujours plus haut que soi,
En vieillesse comme en enfance.
Ma femme, avec mon fils Aignan,
A voyagé jusqu'à Narbonne !
Mon filleul a vu Perpignan !
Et je n'ai pas vu Carcassonne !

Ainsi parlait près de Limoux
Un paysan courbé par l'âge.
Je lui dis : Ami, levez-vous !
Nous allons faire le voyage !
Nous partîmes le lendemain.
Mais – que le Bon Dieu lui pardonne ! –
Il mourut à moitié chemin.
Il n'a jamais vu Carcassonne !

Gustave Nadaud (1820-1893). – Chansonnier (il écrivait paroles et musique), il est l'auteur d'une œuvre importante (cinq cents titres environ) qui lui valut une grande célébrité auprès des gens du peuple, de la bourgeoisie et de la cour de Napoléon III.

NOSTALGIE

L'usure des mois dont on voit la fin
Dans son porte-monnaie vers le dix,
C'est inexorable et c'est enfantin...
Viendra-t-il un jour, le jour où enfin
Je n'aurai plus de trous aux chemises
Ni dans mes comptes... Ah ! quelle bêtise
De ne plus pouvoir s'en aller plus loin...
Il y a des pays où la vie se donne :
Pas d'hivers donc pas besoin de charbon,
Pas de maisons, pas, que l'on me pardonne,
Non plus de soucis pour les caleçons...
On s'en va tout nu le long d'une grève
Avec une ligne et un hameçon...
Il y a des pays que j'ai vus en rêve
Où l'on se nourrit surtout de poissons...
On y a le temps de lever la tête ;
Le ciel le sait bien qui se fait plus beau,
Ah ! si je n'avais pas tant peur des arêtes
J'aurais pris déjà le premier bateau !

TU PARLES !

Je suis un surhomme
mais ça ne se dit pas
mais ça ne se sait pas
mais ça ne se voit pas.
Si j'ai quelques défauts
c'est pour mieux camoufler ma douce perfection.
Je suis banal, mesquin, parfois malade
menteur et voleur de temps en temps
pour passer inaperçu
dans la grande masse anonyme
pour ressembler à la moyenne défectueuse.
Mon feu serait trop vif
et ma lumière trop crue
sans les faiblesses qui m'habillent.
Je suis le surhomme inconnu
le dieu invisible.
Celui qui me découvrira
sous les couleurs communes
deviendra immortel.

Pierre Boujut (né en 1913). – Fait prisonnier en 1940, il connut l'expérience de la guerre et des camps. Il créa et anima jusqu'en 1982 la revue *La Tour de feu* qui regroupait très librement des poètes refusant le snobisme littéraire. Sa poésie généreuse exprime son goût pour la liberté et un solide optimisme.

SI MON PÈRE ÉTAIT UN OURSON

Si mon père était un ourson,
Ma tante Alice un gros pigeon,
Si mon oncle était un trapèze,
Ma sœur Anne, un bâton de chaise,
Si ma marraine était un mât,
Mon grand frère, un œuf sur le plat,
Et l'école, une vieille cruche,
Je ne sais pas comment irait
Le monde étroit que je connais,
Mais je rirais, ah, je rirais
A faire sauter les volets.

LE SKI

Un garçon glissant sur ses skis,
disait : "Ah ! le ski, c'est exquis,
je me demande bien ce qui
est plus commode que le ski."

Comme il filait à toute allure,
un rocher se dressa soudain.
Ce fut la fin de l'aventure.
Il s'écria, plein de dédain :

"Vraiment, je ne suis pas conquis,
je n'ai bu ni vin, ni whisky
et cependant, je perds mes skis.
Non, le ski, ce n'est pas exquis."

Lorsqu'une chose nous dérange,
Notre avis change.

Pierre Gamarra (né en 1919) participa à la Résistance. Il écrivit alors des poèmes publiés dans des "feuilles de hasard" et repris ensuite dans la revue *Europe* dont il devint plus tard le rédacteur en chef. Il a publié *Essais pour une malédiction*, 1944, *Chanson de la citadelle d'Arras*, 1950 ; *Un chant d'amour*, 1958...

L'ÉLIXIR POUR LES GORILLES

Autrefois c'était tout plein
De gorilles sur la terre :
Il y en avait des malins,
Des brutes, des terre à terre.

Les malins voulaient avoir
Pour eux seuls toute la place ;
Dirent un jour : "Faudrait voir
A ce qu'on se débarrasse

De ces pauvres illettrés,
Sans nul esprit, malhabiles,
Chétifs, souffreteux, débiles,
Qui surpeuplent nos forêts !"

Finirent par réussir
A les chasser du royaume
A l'aide d'un élixir
Qui les transforma en hommes !

N'oublions pas désormais
Que chacun de nos semblables
Peut être un gorille mais
Est-ce que c'est reconnaissable ?

STATUE D'HOMME D'ÉTAT

C'était un bavard de talent très mince ;
Et, pendant trente ans, il avait été
Fameux à Paris, grand homme en province,
Ministre deux fois, toujours député.

Traité d'éminent et de sympathique,
Il avait trahi deux ou trois serments,
Ainsi qu'il convient dans la politique...
Bref, c'était l'honneur de nos parlements.

Il mourut. Sa ville – elle était très fière
D'avoir enfanté ce contemporain ! –
Dès qu'il fut enfin muet dans la bière,
Le fit sans tarder revivre en airain.

J'ai vu sa statue. Elle est sur la place
Où se tient aussi le marché couvert.
C'est bien l'orateur ; son geste menace,
Et sa redingote est en bronze vert.

Mais les bons ruraux, vile multitude,
Vendant les produits du pays natal,
Sans y voir malice et par habitude,
Laissent leurs baudets près du piédestal ;

Et, tous les lundis, quand les paysannes
Sous les piliers noirs viennent se ranger,
Le tribun d'airain harangue les ânes...
Et ça ne doit pas beaucoup le changer.

François Coppée (1842-1908). – se fit connaître grâce à sa première pièce, *Le Passant* (1869). Il continua alors d'écrire et atteignit, grâce à son théâtre et à ses poèmes, une célébrité considérable. Ses vers, d'un prosaïsme voulu, semblent aujourd'hui plus moralisateurs que poétiques.

LA MÉNAGERIE
QUI RIT

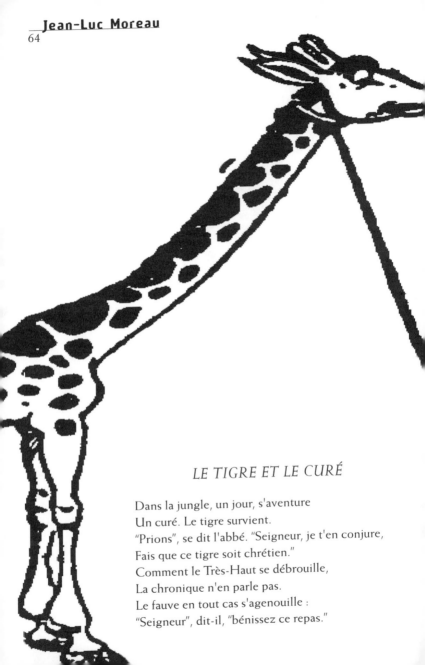

LE TIGRE ET LE CURÉ

Dans la jungle, un jour, s'aventure
Un curé. Le tigre survient.
"Prions", se dit l'abbé. "Seigneur, je t'en conjure,
Fais que ce tigre soit chrétien."
Comment le Très-Haut se débrouille,
La chronique n'en parle pas.
Le fauve en tout cas s'agenouille :
"Seigneur", dit-il, "bénissez ce repas."

LE CINQUIÈME JOUR

Du haut d'un nuage,
les mains rouges d'argile,
Dieu contemplait les animaux :
– Je suis mécontent du zèbre
dit-il à saint Rémi
qui tenait la liste
il ressemble trop au cheval
rayez-le !

LA MOUCHE QUI LOUCHE

Chaque fois que la mouche qui louche
veut se poser au plafond
elle s'y cogne le front
et prend du plâtre plein la bouche

Moralité
Pauvres mouches qui louchez
posez-vous sur le plancher

Jean Orizet (né en
1937). – Après de
nombreux voyages
à travers le monde,
Jean Orizet s'est
consacré à la
poésie (*Errance*,
1962, *L'Horloge de
la vie*, 1966,
*Silencieuse entrave
du temps*, 1972).
Il a réuni de larges
extraits de ses
œuvres dans
En soi le chaos
(1975).

Un mille-pattes à un mariage invité
N'y est jamais arrivé
Car il n'a pas pu achever
De lacer tous ses souliers...

Lucie Spède (née en 1936). – Écrivain belge de langue française, Lucie Spède a écrit plusieurs recueils de poèmes, pleins de finesse et d'humour (*Volte-face*, 1973; *Inventaire*, 1974; *La Savourante*, 1978).

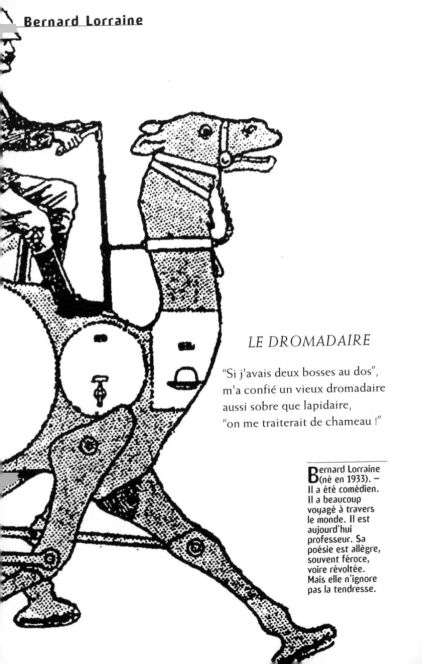

Bernard Lorraine

LE DROMADAIRE

"Si j'avais deux bosses au dos",
m'a confié un vieux dromadaire
aussi sobre que lapidaire,
"on me traiterait de chameau !"

Bernard Lorraine
(né en 1933). –
Il a été comédien.
Il a beaucoup
voyagé à travers
le monde. Il est
aujourd'hui
professeur. Sa
poésie est allègre,
souvent féroce,
voire révoltée.
Mais elle n'ignore
pas la tendresse.

LE CHAMEAU

Un chameau entra dans un sauna.
Il eut chaud,
Très chaud,
Trop chaud.

Il sua,
Sua,
Sua.

Une bosse s'usa,
S'usa,
S'usa.

L'autre bosse ne s'usa pas.

Que crois-tu qu'il arriva ?

Le chameau dans le désert
Se retrouva dromadaire.

Pierre Coran (né en 1934). – Il a publié de nombreux poèmes pour les enfants, qu'il connaît bien puisqu'il a été enseignant avant de se consacrer entièrement à la poésie (*La Mare aux fées*, 1960, *Les Secrets de Coccinelle*, 1964, *La Courte Échelle*, 1978).

Robert Desnos
(1900-1945). –
Mobilisé en 1939,
il rejoignit la
Résistance en 1942.
Déporté, il mourut
peu après la
libération du camp
de Terezin. Son
œuvre, originale,
pleine de fantaisie
et d'une grande
liberté d'esprit, est
multiple ; pour les
enfants, il a écrit
notamment
*Chantefables et
Chantefleurs*
(1944).

LE BLAIREAU

Pour faire ma barbe
Je veux un blaireau,
Graine de rhubarbe,
Graine de poireau.

Par mes poils de barbe !
S'écrie le blaireau,
Graine de rhubarbe,
Graine de poireau.

Tu feras ta barbe
Avec un poireau,
Graine de rhubarbe,
T'auras pas ma peau.

LE PAON

En faisant la roue, cet oiseau
Dont le pennage traîne à terre,
Apparaît encore plus beau,
Mais se découvre le derrière.

RELATIVITÉ

"Aussi stupide qu'une vache
Qui regarde passer les trains"
Comme disent les voyageurs
Des chemins de fer à vapeur
En rigolant dans leurs moustaches.

"Aussi bête qu'un voyageur
Qui regarde brouter les vaches"
Comme pensent les bovidés
Sur leurs coteaux à romarins
En ruminant plus d'une idée.

LE CRAPAUD

Ah, laissez-le vivre !

Je préfère suivre
sans éclat de cuivre
un crapaud en deuil
qu'un drapaud
en berne.

L'honneur des badernes
moi, je m'en bats l'œil.

LE KANGOUROU

Minuscule bébé mou,
pas plus gros à sa naissance
qu'une pièce de cent sous,
il attend l'adolescence
ballotté douillettement
dans le sac de sa maman.
Mais dès qu'il sort de son trou
il vous fait les quatre cents coups.

Les gentils petits Papous
des brousses de l'Australie
empruntent les kangourous
pour disputer leurs rallyes.
Ils s'approchent d'un troupeau
et, se glissant dans la poche
du véloce marsupiau,
dès qu'ils y sont à l'abri
ils demandent d'un air doux :

"Taxi, combien me prendrez-vous
pour traverser sans anicroche
Le désert de Kalahari ?"

La peau
Du sac
En croco
Soudain
Se souvint
Du temps
Où elle était
Caïman
Alors prestement
La mâchoire
Du fermoir
Happa
Le doigt
De la douairière
Désormais
Prisonnière.

Ce sont trois chèvres un matin
qui travaillent dans leur jardin.
La première secoue le poirier.
La seconde ramasse les poires,
La troisième va au marché.

Elles ont travaillé tant et tant
et gagné tellement d'argent
qu'elles ont pris à leur service
trois demoiselles de Saint-Sulpice.

La première fait la cuisine,
la seconde fait le ménage,
et la troisième au pâturage
garde trois chèvres le matin

qui s'amusent dans leur jardin.
Trois chèvres qui ne font plus rien.

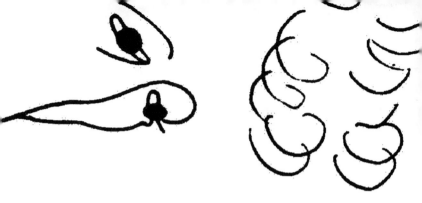

UNE BALEINE À BICYCLETTE

Une baleine à bicyclette
rencontre un yak dans un kayak

Elle fait sonner sa sonnette.
C'est pour que le yak la remarque.

Elle sonne faux, la sonnette,
dit le yak à l'accent canaque.

La baleine, la pauvre bête,
reçoit ces mots comme une claque.

Une baleine à bicyclette
qu'un yak accuse de faire des couacs !

Elle sonne juste, ma sonnette,
dit la baleine du tac au tac.

Car ma sonnette a le son net
d'une jolie cloche de Pâques.

Ne te fâche pas, baleinette,
répond le yak qui a le trac.

(Une baleine à bicyclette
peut couler un yak en kayak)

J'aime beaucoup ta sonnette,
elle a un son net et intact.

Bien trop poli pour être honnête,
dit la baleine au yak sans tact.

Le yak en kayak s'en va sur le lac
et la baleine à bicyclette

s'en va pédalant vers Cognac
en faisant sonner sa sonnette.

Comme je n'ai plus de rimes en ac
je reste en carafe dans le lac

comme une baleine un peu braque
qui n'a plus de tour dans son sac.

LA FOURMI ET LA CIGALE

Une fourmi fait l'ascension
d'une herbe flexible
elle ne se rend pas compte
de la difficulté de son entreprise

elle s'obstine la pauvrette
dans son destin délirant
pour elle c'est un Everest
pour elle c'est un Mont Blanc

ce qui devait arriver arrive
elle choit patatratement
une cigale la reçoit
dans ses bras bien gentiment

eh dit-elle point n'est la saison
des sports alpinistes
(vous ne vous êtes pas fait mal j'espère ?)
et maintenant dansons dansons
une bourrée ou la matchiche

LA MOUCHE PRÈS D'UN CHARIOT TIRÉ PAR SIX CHEVAUX

Un chariot tiré par six chevaux fougueux
Roulait sur un chemin aride et sablonneux.
Une mouche était là présomptueuse et fière
Qui dit en bourdonnant : "que je fais de poussière !"

LES LIÈVRES ET LE VENT

Le vent faisait du bruit dans une forêt noire ;
Les lièvres eurent peur, nul ne les poursuivant.
"Je crois, dit l'un d'entre eux, que ce n'est que le vent,
Mais nous aurons toujours de la peine à le croire."

Isaac de Benserade (1613-1691). – D'abord auteur de tragédies, il fréquente assidûment la cour. Ses vers de ballet (*Cassandre, La Nuit, Le Triomphe de l'amour*) lui valurent une réputation considérable, puisqu'on le considérait alors comme l'égal de Corneille !

LE CORBEAU ET LE RENARD

Maître Corbeau, sur un arbre perché,
Tenait en son bec un fromage.
Maître Renard, par l'odeur alléché,
Lui tint à peu près ce langage :
"Hé ! bonjour, Monsieur du Corbeau,
Que vous êtes joli ! que vous me semblez beau !
Sans mentir, si votre ramage
Se rapporte à votre plumage,
Vous êtes le phénix des hôtes de ces bois."
A ces mots, le Corbeau ne se sent pas de joie ;
Et, pour montrer sa belle voix,
Il ouvre un large bec, laisse tomber sa proie.
Le Renard s'en saisit, et dit : "Mon bon Monsieur,
Apprenez que tout flatteur
Vit aux dépens de celui qui l'écoute.
Cette leçon vaut bien un fromage, sans doute."
Le Corbeau, honteux et confus,
Jura, mais un peu tard, qu'on ne l'y prendrait plus.

Jean de La
Fontaine (1621-
1695). D'abord
avocat, puis
protégé du ministre
Fouquet, il compose
à sa gloire *Le
Songe de Vaux*.
Il écrit des romans,
des contes et des
comédies, mais on
connaît surtout
ses *Fables*.

TROIS MICROBES

Trois microbes, sur mon lit,
Se consultent, bien assis.

L'un s'appelle Scarlatine
Il parle d'une voix fine.

L'autre s'appelle Rougeole
Et prend souvent la parole.

Et le troisième, Oreillons,
Ressemble à un champignon.

Ils discutent pour savoir
Lequel dormira ce soir

Dans mon beau petit lit blanc.
Mais fuyons tant qu'il est temps !

Ces trois microbes ma foi,
Dormiront très bien sans moi.

Jean-Louis Vanham (né en 1937). — Il a publié plusieurs recueils d'une poésie légère et souriante (*La Ruche verte*, 1961, *Dans la lune*, 1973, *La Vache en fleur*, 1977).

L'OISEAU VERT

J'ai connu un oiseau vert
Qu'on appelait Arnica.
Il mangeait du seringa
Dans une assiette à dessert.

J'ai connu un éléphant
Qui s'appelait Souris Blanche.
Il se mourait d'amour pour
Un âne appelé Dimanche.

Il y eut un petit pape
Qu'on appelait Papillon,
Il avait le bras si long
Qu'on en fit une soupape.

Oiseau, bel oiseau joli,
Qui te prêtera sa cage ?
La plus sage,
La moins sage,
Ou le roi d'Astragolie ?

**Marcel Béalu
(1908-1993). –**
Romancier, poète,
libraire, sensible au
rêve et à
l'imagination,
il fait naître dans
ses œuvres un
climat étrange et
mystérieux. Ses
poèmes, réunis
dans *Amour me
cèle celle que j'aime*
(1962), témoignent
d'une spontanéité
et d'une
transparence rares.

MÉNAGERIE

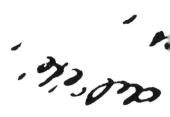

Oh ! papa, toi qui sais tout,
Toi qui lis dans tous les livres,
Et même dans le journal
Où les lettres sont si fines,
Oh ! papa, devine, devine !

Ses yeux sont deux billes de verre,
Ses oreilles feuilles de chou.
Il a mis la peau de son père.
Avec son nez en caoutchouc,
Il fait peur aux petits enfants.
Qu'est-ce que c'est ? C'est l'éléphant.

Il ne va jamais à l'école,
Il se met les doigts dans le nez.
Et, quand il se gratte la tête,
C'est avec ses ongles de pied.
Il n'a pas l'air très bien portant.
Devine ! C'est l'orang-outang.

Elle dort dès qu'on la regarde.
Dès qu'on s'éloigne, elle a marché.
C'est comme une pierre malade.
Elle s'amuse à s'ennuyer.
Petit père, devines-tu ?
C'est la T.O.R.T.U.E tu !

Georges Duhamel (1884-1966). – Il a fait partie du groupe littéraire de l'Abbaye où il publia *Des légendes, des batailles* en 1907. Il écrivit aussi, en collaboration avec Charles Vildrac, des *Notes sur la technique poétique* (1909). Il a publié également *L'Homme en tête* (1909), *Les Compagnons* (1912), *Élégies* (1920).

On nous a dit qu'il est en bête,
Mais nous croyons qu'il est en bois :
Il ne bouge ni pied, ni patte.
Il paraît qu'il pleure parfois,
Et pourtant ça ne se voit pas.
C'est le crocodile, papa !

Il dit tout ce qu'on lui fait dire,
Il est vert, il parle du nez,
Il nous demande avec colère
Si nous avons bien déjeuné.
Oh ! père, tu le reconnais :
C'est un père, le perroquet !

Il mange, il boit, il crie, il pleure,
Il se mouche dans son habit,
Il se roule dans la poussière,
Il ne fait pas ce qu'on lui dit.
Celui-là, tu l'aimes pourtant.
Petit père, c'est ton enfant.

SOURIRES
ET CLINS D'ŒIL

LE CARRÉ POINTU

Le carré a quatre côtés
Mais il est quatre fois pointu
Comme le Monde.
On dit pourtant que la terre est ronde
Comme ma tête
Ronde et monde et mappemonde :
Un anticyclone se dirigeant vers le nord-ouest.
Le monde est rond, la terre est ronde
Mais elle est, mais il est
Quatre fois pointu
Est Nord Sud Ouest
Le monde est pointu
Le terre est pointue
L'espace est carré.

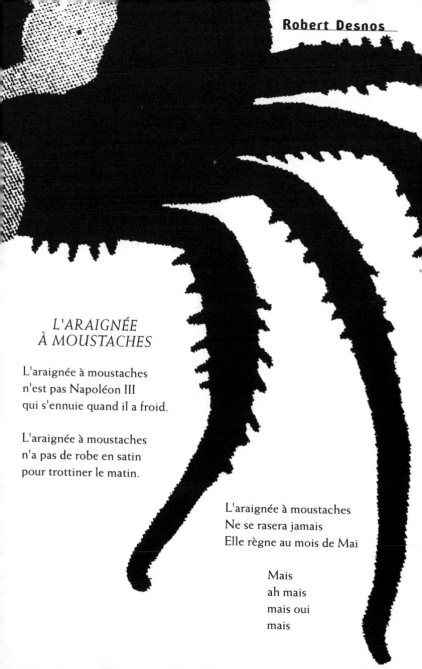

L'ARAIGNÉE
À MOUSTACHES

L'araignée à moustaches
n'est pas Napoléon III
qui s'ennuie quand il a froid.

L'araignée à moustaches
n'a pas de robe en satin
pour trottiner le matin.

L'araignée à moustaches
Ne se rasera jamais
Elle règne au mois de Mai

Mais
ah mais
mais oui
mais

L'araignée à moustaches
habite dans un château
son ami est un corbeau

Mais

L'araignée à moustaches
S'éclaire avec une étoile
Le soleil lui sert de poêle

Mais

L'araignée à moustaches
Porte de belles lunettes
Et joue de la clarinette
Du tambour de la trompette
Et chante d'une voix nette
Fait le jour maintes pirouettes
Toute la nuit fait la fête
Et charme les grosses bêtes

Ah mais !

SARDINES À L'HUILE

Dans leur cercueil de fer-blanc
plein d'huile au puant relent
marinent décapités
ces petits corps argentés
pareils aux guillotinés
là-bas au champ des navets !
Elles ont vu les mers, les
côtes grises de Thulé,
sous les brumes argentées
la Mer du Nord enchantée...
Maintenant dans le fer-blanc
et l'huile au puant relent
de toxiques restaurants
les servent à leurs clients !
Mais loin derrière la nue
leur pauvre âmette ingénue
dit sa muette chanson
au Paradis-des-poissons,
une mer fraîche et lunaire
pâle comme un poitrinaire,
la Mer de Sérénité
aux longs reflets argentés
où durant l'éternité,
sans plus craindre jamais les
cormorans ou les filets,
après leur mort nageront
tous les bons petits poissons !...

Sans voix, sans mains, sans genoux[1]
sardines, priez pour nous.

1. *Tout ce qu'il faut pour prier* (note de G. Fourest).

LE TRIANGLE ORGUEILLEUX A DIT...

Le triangle orgueilleux a dit :
– Je suis symbole de science,
C'est en m'étudiant que le savant pâlit. –

Le triangle orgueilleux a dit :
– Je suis symbole d'harmonie,
Et ma voix argentine à l'orchestre s'unit. –

Le triangle orgueilleux a dit :
– Je rayonne au fronton des temples,
Et c'est en mon milieu que l'œil de Dieu luit. –

Mais voici dans les cieux une voix qui s'écrie :
– Toi qui te dis Science et te dis Harmonie,
Qui t'égales aux Dieux en d'insolents discours,

O Superbe, courbe la tête :

Tu ne seras jamais la roue de la bicyclette
Avec laquelle on va jusqu'à Saint-Pétersbourg.

Franc-Nohain
(1873-1934)
Humoriste de
talent, il est
l'auteur de romans,
contes et
nouvelles. Sa
poésie est
amusante et légère
(*Le Kiosque à
musique*, 1922;
Fables, 1921 et
1927).

LITANIE DES ÉCOLIERS

Saint Anatole,
Que légers soient les jours d'école !
Saint Amalfait,
Ah ! que mes devoirs soient bien faits !
Sainte Cordule,
N'oubliez ni point ni virgule.
Saint Nicodème,
Donnez-nous la clé des problèmes.
Saint Tirelire,
Que grammaire nous fasse rire !
Saint Siméon,
Allongez les récréations.
Saint Espongien,
Effacez tous les mauvais points.
Sainte Clémence,
Que viennent vite les vacances !
Sainte Marie
Faites qu'elles soient infinies !

RONDE DES DÉPARTS

— Pour montrer que nous sommes tristes,
Il convient d'agiter nos mouchoirs de batiste.

Chœur des sceptiques

Et si vous n'avez pas de mouchoirs ?

— Nous quitterons nos redingotes
Offrant au vent leurs pans qui se gonflent et flottent.

Le chœur

Et si vous n'avez pas de redingote ?

— Que notre gilet de flanelle
S'envole vers l'absent comme de blanches ailes.

Le chœur

Et si vous n'avez pas de flanelle ?

— Mais notre pantalon nous reste
Pour faire au train qui part nos signaux de détresse.

Le chœur

Et si vous n'avez pas de pantalon ?

— (C'est absolument invraisemblable.)

PERPLEXITÉ

En sortant de sa cabane
le bûcheron se demande
s'il ne va pas neiger

pas un nuage
le bûcheron regarde le thermomètre
il fait trente-trois degrés

pas une brise
le bûcheron regarde le calendrier
on est le quatorze juillet

pas un souffle
le bûcheron suce son index
et le tend vers le ciel

le soleil fleurit
inondant la clairière
de ses étincelles

on ne saurait trop se méfier
le bûcheron se demande
s'il ne va pas neiger

Jeanne songeait, sur l'herbe assise, grave et rose ;
Je m'approchai : – Dis-moi si tu veux quelque chose,
Jeanne ? – car j'obéis à ces charmants amours,
Je les guette, et je cherche à comprendre toujours
Tout ce qui peut passer par ces divines têtes.
Jeanne m'a répondu : – Je voudrais voir des bêtes.
Alors je lui montrai dans l'herbe une fourmi.
Vois ! – Mais Jeanne ne fut contente qu'à demi.
– Non, des bêtes, c'est gros, me dit-elle.

                                                  Leur rêve,
C'est le grand. L'océan les attire à sa grève,
Les berçant de son chant rauque, et les captivant
Par l'ombre, et par la fuite effrayante du vent ;
Ils aiment l'épouvante, il leur faut le prodige.
– Je n'ai pas d'éléphant sous la main, répondis-je.
Veux-tu quelque autre chose ? ô Jeanne, on te le doit !
Parle. – Alors Jeanne au ciel leva son petit doigt.
– Ça, dit-elle. – C'était l'heure où le soir commence.
Je vis à l'horizon surgir la lune immense.

Jeanne était au pain sec dans le cabinet noir,
Pour un crime quelconque, et, manquant au devoir,
J'allai voir la proscrite en pleine forfaiture,
Et lui glissai dans l'ombre un pot de confiture
Contraire aux lois. Tous ceux sur qui, dans ma cité,
Repose le salut de la société,
S'indignèrent, et Jeanne a dit d'une voix douce :
— Je ne toucherai plus mon nez avec mon pouce ;
Je ne me ferai plus griffer par le minet.
Mais on s'est récrié : — Cette enfant vous connaît ;
Elle sait à quel point vous êtes faible et lâche.
Elle vous voit toujours rire quand on se fâche.
Pas de gouvernement possible. A chaque instant
L'ordre est troublé par vous ; le pouvoir se détend ;
Plus de règle. L'enfant n'a plus rien qui l'arrête.
Vous démolissez tout. — Et j'ai baissé la tête,
Et j'ai dit : — Je n'ai rien à répondre à cela,
J'ai tort. Oui, c'est avec ces indulgences-là
Qu'on a toujours conduit les peuples à leur perte.
Qu'on me mette au pain sec. — Vous le méritez, certes,
On vous y mettra. — Jeanne alors, dans son coin noir,
M'a dit tout bas, levant ses yeux si beaux à voir,
Pleins de l'autorité des douces créatures :
— Eh bien, moi, je t'irai porter des confitures.

DANS L'AUTOBUS

Lyrisme, poésie, ivresses trois fois pures,
Grande harmonie où mon cœur se complaît !
Il est défendu de monter dans les voitures
Et d'en descendre avant l'arrêt complet.

Tristan Derême (1889-1941). — Il fonde, avec Francis Carco et Robert de la Vaissière, l'école fantaisiste, dont on commence aujourd'hui à reconnaître l'importance. Apparemment pleine de "fantaisie", voire burlesque, la poésie de Tristan Derême laisse entrevoir une nostalgie profonde, une émotion retenue (*La Verdure dorée*, 1922, *Poèmes du colombier*, 1929).

UNE FAMILLE BIEN PARISIENNE

L'ératépiste
épouse une sténotypiste
ils ont un fils
sténotypiste
et une fille
ératépiste
le fils sténotypiste épouse une fille ératépiste
et la fille ératépiste épouse un garçon aussi ératépiste
l'ératépiste
qui avait épousé une sténotypiste
a maintenant des petits-enfants
qui sont les uns sténotypistes
et les autres ératépistes
comme on dit, il faut de tout pour faire un monde.

UN CONTE D'APOTHICAIRE

Si vous passez par la cour neuve
arrêtez-vous au Chat-Qui-Dort
on y vend du sirop de pieuvre
de la thériaque et du drap d'or
   (à des prix modiques)
mais où est donc cette cour neuve ?
je la cherche en vain sur le plan
à quoi sert si je ne le trouve
qu'existe un pareil commerçant ?
   (qui ne craint aucune concurrence)
il faut chercher chercher encore
peut-être est-ce là, ptêtre ici
que s'achètent la mandragore
la poudre de perlimpipi
le cerveau de catoblépas
la concrétion dite bézoard
combien faut-il perdre de pas
simplement pour l'amour de l'art

PANNE D'IMAGINATION

Que voulez-vous que je vous dise ?
Moi, je ne sais pas inventer.
Je vous propose, sans surprise,
Quelques vieilles banalités :
L'arbre à chansons qui chaque été
Fredonne pour vous dans la brise,
L'auto à vent, l'avion à thé,
Le stylo spécial pour dictées
Qui sait écrire sans sottises
(Ou cent sottises entêtées),
Le sèche-océan breveté
Pour vous baigner à votre guise
(L'eau sèche est bonne à la santé),
La chaise en noyaux de cerises,
La tour Eiffel à tricoter,
Le chauffage de la banquise,
Le prie-dieu pour Mont-de-Piété,
Un manège à chevaux de frise,
Du beurre à l'électricité,
Le soleil couchant en chemise,
La bicyclette à barboter,
Un diplôme de gourmandise,
Le cordonnier du Chat botté,
La bouée chantante de Venise...
Moi, je ne sais pas inventer.

Que voulez-vous que je vous dise
Moi, je ne sais pas raconter.
Au lieu d'écrire des sottises,
Je dis ce que j'ai constaté,
Car il suffit de regarder :
Le kangourou prend sa valise,
Sa pipe, sa corde à sauter,
Il part pour l'Université
Apprendre à parler le kirghize,
Ça peut servir en société
Autant qu'un bon pianoforte.
Il rencontre près de l'église
Une puce bien cravatée
Qui lui déclare : "Je t'avise
Que je bondis, en vérité,
Plus haut que toi et ta valise."
Quand le kangourou irrité,
Sauta comme un furieux en crise,
La puce, avec vivacité,
Sur son bout de nez s'étant mise,
N'eut pas de mal à ressauter
Plus haut que lui. Quelle surprise !
Mais vous, vous l'aviez deviné.
Que voulez-vous que je vous dise ?
Moi, je ne sais pas inventer.

CHEZ NOUS

Chez nous à l'Orbrie
Les veufs se remarient
Les veufs tout vieux hier
et tout ragaillardis
aujourd'hui...
Plus de femme à la maison ?
Allons donc !
Et la popote ?
le lit bien fait ?
et la trique ?
ça manque aussi
les coups de balai !

Chez nous à l'Orbrie
les veufs se remarient...
Pas les veuves :
elles ont compris !
Les galants qui vous font la cour
font rimer amour
avec velours
Ah ! Ah !
les femmes ne sont pas folles :
amour rime avec casserole

Clod'Aria (né en 1916). — Des poèmes simples, chantants, une solide verdeur et le sens de la revendication. (*Poèmes mélodiques*, 1956, *Cris muets*, 1959, *Les Vieux*, 1972, *La Machine à battre*, 1974).

CHEZ MOI

Chez moi, dit la petite fille
On élève un éléphant.
Le dimanche son œil brille
Quand Papa le peint en blanc.

Chez moi, dit le petit garçon
On élève une tortue.
Elle chante des chansons
En latin et en laitue.

Chez moi, dit la petite fille
Notre vaisselle est en or,
Quand on mange des lentilles
On croit manger un trésor.

Chez moi, dit le petit garçon
Nous avons une soupière
Qui vient tout droit de Soisson
Quand Clovis était notaire.

Chez moi, dit la petite fille
Ma grand-mère a cent mille ans.
Elle joue encore aux billes
Tout en se curant les dents.

Chez moi, dit le petit garçon
Mon grand-père a une barbe
Pleine pleine de pinsons
Qui empeste la rhubarbe.

Chez moi, dit la petite fille
Il y a trois cheminées
Et lorsque le feu pétille
On a chaud de trois côtés.

Chez moi, dit le petit garçon
Passe un train tous les minuits.
Au réveil, mon caleçon
Est tout barbouillé de suie.

Chez moi, dit la petite fille
Le Pape vient se confesser.
Il boit de la camomille
Une fois qu'on l'a fessé.

Chez moi, dit le petit garçon
Vit un Empereur chinois.
Il dort sur le paillasson
Aussi bien qu'un Iroquois.

Iroquois ! dit la petite fille,
Tu veux te moquer de moi !
Si je trouve mon aiguille
Je vais te piquer le doigt !

Ce que c'est d'être une fille
Répond le petit garçon.
Tu es bête comme une anguille
Bête comme un saucisson.

C'est moi qu'ai pris la Bastille
Quand t'étais dans les oignons.
Mais à une telle quille
Je n'en dirai pas plus long !

Sa vie fut un calvaire sa mort romantique
Sa mère était trombone son enfant asthmatique
Les métiers les moins sots ne sont pas les meilleurs
Nous l'avons tous connu il était métallique
Sa fille préférée s'appelait Mélancolique
Un nom occidental qui flattait les tailleurs
Avide comme un pou sans aucun sens critique
Il se mordit les doigts brûla toute sa boutique
C'est du moins ce qu'affirment ses amis rimailleurs

Cette histoire nous vient d'Amérique
Elle pourrait venir d'ailleurs

Philippe Soupault (1897-1990). – Voyageur, journaliste, homme de radio, critique, un des fondateurs du mouvement surréaliste avec André Breton. Ils publient le premier grand texte surréaliste, *Les Chants magnétiques*. Du surréalisme il a gardé le goût de l'écriture automatique comme on le voit dans *Aquarium* (1917), *Rose des vents* (1920), *Georgia* (1926)...

LE COQ

Le coq exulte :
il a picoré la fermière et tous les tigres d'alentour.
Le roi n'est pas son cousin,
sa nièce n'est pas sa cousine,
pas plus que l'amiral
dont la flotte s'est noyée en sortant du port.
On en a beaucoup parlé dans la marine,
on l'a dit, on l'a répété,
fastidieusement,
on n'a parlé que de ça
durant toute la saison des châtaignes
qui n'en finissait plus,
qui n'en finissait plus,
qui n'en finissait plus,
qui n'a jamais fini.

Jean Cassou (1897-
1986). – Il
participa au front
populaire et à la
Résistance ; il
écrivit alors sous le
pseudonyme de
Jean Noir un chef-
d'œuvre : *Trente-
trois sonnets
composés en
secret*. Après la
guerre, il fut
directeur du musée
d'Art moderne. Ses
poèmes ont été
recueillis sous le
titre *Œuvre lyrique*
(1971).

FISCAL

Je dois au percepteur adresser une lettre,
Pour lui demander s'il ne pourrait pas remettre
D'un ou deux mois le règlement de mes impôts.

Car, cette année, l'État n'y va pas de main morte.

Depuis dix jours, c'en est fini de mon repos,
De mon sommeil, de mon ardeur, de mon bien-être.
Je veux le proclamer en un dodécamètre :
Que ne suis-je né sur les bords du Limpopo ?

(Car, cette année, l'État n'y va pas de main morte.)

Il est trop tard pour fuir : déjà, devant ma porte,
Faisant le pied de grue, le commissaire est là,
Accompagné, ô dieu, d'une noire cohorte
D'ardents déménageurs, indestructible escorte !
Fuir, hélas ! Pour tomber de Charybde en Scylla !

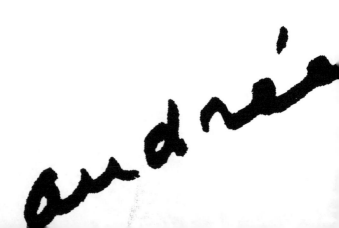

La Pyramide
Sans une ride
Debout dans le soleil torride
Se rêve : *Océan liquide*
Flottant sur un ciel humide.

Mais l'Océan
Tout gercé d'ans
Lassé de l'eau et de l'ouragan
Se rêve : *Coiffé d'un turban*
Au sec, sous le soleil d'Assouan.

Andrée Chedid (née en 1920). – D'origine égyptienne, sa poésie interroge la difficulté de vivre. Ses recueils ont pour titre : *Textes pour le vivant* (1953), *Textes pour la terre aimée* (1955), *Terre regardée* (1957), *Seul le visage* (1960), *Double pays* (1965), *Cavernes et soleils* (1979).

ÉPIGRAMMES

À UN POÈTE IGNORANT

Qu'on mène aux champs ce coquardeau,
Lequel gâte, quand il compose,
Raison, mesure, texte et glose,
Soit en ballade ou en rondeau.

Il n'a cervelle ni cerveau,
C'est pourquoi si haut crier j'ose,
Qu'on mène aux champs ce coquardeau.

S'il veut rien faire de nouveau,
Qu'il œuvre hardiment en prose
(J'entends s'il en sait quelque chose)
Car en rime ce n'est qu'un veau
    Qu'on mène aux champs.

Clément Marot
(1496-1544). —
Boileau le disait
poète de l'élégant
badinage; il était
aussi un homme
d'action. Suspecté
d'hérésie, enfermé
au Châtelet, libéré
par François Iᵉʳ, il
se réfugia chez
Marguerite de
Navarre et mourut
à Turin. Dans ses
poèmes se
conjuguent le
Moyen Age
finissant et
l'annonce d'une
poésie nouvelle,
celle des poètes
de la Pléiade.

SUR UNE AUBERGE DE BRAY

Au diable ! auberge immonde ! Hôtel de la punaise !
Où la peau, le matin, se couvre de rougeurs,
Où la cuisine pue, où l'on dort mal à l'aise,
Où l'on entend chanter les commis voyageurs !

À UNE VIEILLE COMTESSE
QUI PASSAIT EN VOITURE PAR UNE
PLUIE BATTANTE

Si le Ciel était juste, ô comtesse pimbêche !
Vous seriez dans la boue, et nous dans la calèche !

M. DUPIN DE LA NIÈVRE

— Pourquoi changer ton nom, Dupin ?
— Nommez-moi Dupin de la Nièvre.
— Pourtant tu rimais à lapin.
— Oui, mais je veux rimer à lièvre.

SUR UN MÉCHANT AUTEUR MÉCHANT

Tu dis, Lubin, dans tes doctes ouvrages,
Que des mauvais auteurs on devrait se venger
En les noyant. L'avis sans doute est des plus sages ;
Mais, mon ami, sais-tu nager ?

CONTRE L'ÉCRIVAIN CHAPELAIN

Froid, sec, dur, rude auteur, digne objet de satire,
De ne savoir pas lire oses-tu me blâmer ?
Hélas ! pour mes péchés, je n'ai su que trop lire,
    Depuis que tu fais imprimer.

Jean Racine (1639-
1699). –
Historiographe de
Louis XIV, Jean
Racine fut un
personnage en vue
à la cour du Roi-
Soleil. Auteur
dramatique, il a
écrit de
nombreuses pièces
où s'expriment son
génie poétique et
un sens tragique
hérité des Grecs.
Citons parmi les
plus connues,
Andromaque
(1667), *Britannicus*
(1669) et *Phèdre*
(1677).

— On vient de me voler !... — Que je plains ton malheur !
— Tous mes vers manuscrits ! — Que je plains ton voleur !

SUR MARIE-FRANÇOISE DE BEAUHARNAIS

Chloé, belle et poète, a deux petits travers :
Elle fait son visage et ne fait pas ses vers.

Ponce Denis Écouchard Le Brun (1729-1807). – Célèbre pour ses *Odes* (*Ode à Monsieur de Buffon sur ses détracteurs, Ode aux Français,* 1762, *Ode au vaisseau le Vengeur,* 1794...), et pour ses *Épigrammes,* il connut de son vivant un succès considérable.

STANCES

Martin plus noir qu'une pie,
Plus goulu qu'une harpie,
Plus larron qu'un vieux magot,
Plus hardi qu'une écritoire,
Plus pointu qu'une lardoire,
Et plus hargneux qu'un fagot.

Martin dont la face maigre
Semble un œuf cuit au vinaigre,
Cette tête de lutin,
Ce visage en acrostiche,
Cette âme de mauvais riche,
Vint chez moi l'autre matin.

J'appelai soudain mon hôte,
Je lui dis : portez la hotte,
Courez, bonhomme, venez
Voir l'argent de mes dépenses
Car Martin a des finances
Autant comme il a de nez ;

Mais cet esprit diabolique,
Martin lui faisant la nique,
Lui renfrogna le sourcil ;
Mon hôte, branlant la tête,
Me dit : il a l'âme faite
Comme du noir à noirci.

Pierre de
Faucheron, sieur
de Mont-Gaillard
(1550-1605). —
Écrivain précieux,
qui composa des
vers d'une ironie
allègre.

Paul, ce grand médecin, l'effroi de son quartier,
Qui causa plus de maux que la peste et la guerre,
Est curé maintenant, et met les gens en terre :
    Il n'a point changé de métier.

Voltaire (1694-1778). – Il contribua à préparer, dans les esprits, la Révolution de 1789. Il écrivit des œuvres philosophiques, dramatiques, polémiques, romanesques et poétiques. Il semble que ce soit dans la poésie légère qu'il ait le mieux réussi et il est souvent inimitable.

L'autre jour, au fond d'un vallon,
Un serpent piqua Jean Fréron ;
Que pensez-vous qu'il arriva ?
Ce fut le serpent qui creva.

LA GLOIRE DES CONQUÉRANTS

Le grand César et le grand Alexandre
Ont réduit des états en cendre,
Voilà leurs exploits importants !
Leurs actes les plus héroïques
Ce sont des crimes éclatants
Par les calamités publiques.

AUX CONQUÉRANTS

Braves, qui vous piquez de gloire,
Rompez ce charme décevant ;
Louez la poussière et le vent,
Ils vous ont donné la victoire.

Charles Cotin
(1604-1682). –
Prédicateur célèbre,
il fut violemment
attaqué par Boileau
et ridiculisé par
Molière dans *Les
Femmes savantes.*
Sa poésie, habile et
variée, est tantôt
légère et galante,
tantôt érudite.
Polémiste de talent,
il répondit aux
satires de Boileau
dans *La Satire des
Satires* (1666) et
*La Critique
désintéressée des
satires du temps*
(1667).

ÉCRIT SUR LE MUR DE VERSAILLES À CÔTÉ DU CORDON DE SONNETTE DE LOUIS XVI

L'abject est illustre
Dans ce temps caduc.
Le duc sonne un rustre.
Le roi sonne un duc.

Siècle étrange ! il taille,
Sans mêler les rangs,
De la valetaille
A même les grands.

Il tient fous et sages
Au bout de son fil.
Il a deux visages
Mais un seul profil.

Il a sur l'épaule
Dans ce même sac
Le duc et le drôle
Frontin et Fronsac.

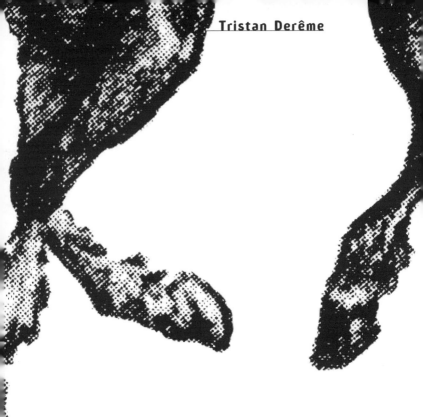

POUR RÉPONDRE
À UNE INVITATION

A ce festin déjà je brûle de me rendre ;
Mon appétit se trouve, à chaque heure, agrandi
Et je vous dis à Vendre-
Di.

LES LOISIRS DE LA POSTE

Apte à ne point te cabrer, hue !
Poste et j'ajouterai : dia !
Si tu ne fuis II bis, rue
Balzac, chez cet Heredia.

*

Rue, au 23, Ballu

              J'exprime
Sitôt Juin à Monsieur Degas
La satisfaction qu'il rime
Avec la fleur des syringas.

Stéphane Mallarmé (1842-1898). Employé de l'enregistrement à Sens, puis professeur d'anglais, il consacra toute son activité à la poésie. Poète hermétique pour certains, Mallarmé joua un rôle capital dans le renouvellement du langage poétique.

ÉPITAPHES

ÉPITAPHE D'UN PARESSEUX

(par lui-même)

Jean s'en alla comme il était venu,
Mangea le fonds avec le revenu,
Tint les trésors chose peu nécessaire.
Quant à son temps, bien sut le dispenser :
Deux parts en fit, dont il soulait passer
L'une à dormir et l'autre à ne rien faire.

Ci-gît un des grands manitous
De notre foire politique...
D'un tel être fantomatique
Ne dit-on rien qu'on a dit tout.

*

Ci-gît le mari de ma tante
Qui trop heureux de la quitter
Va pouvoir enfin profiter
D'un petit moment de détente.

Jean-Victor
Pellerin (1889-
1970). – Auteur de
nombreux recueils
de poèmes, depuis
32 décembre
(1922). Sa verve
s'est donné libre
cours dans ses
Épitaphes à vendre
(1955).

ÉPITAPHE DU CARDINAL DE RICHELIEU

Ci-gît un fameux Cardinal
Qui fit plus de mal que de bien :
Le bien qu'il fit, il le fit mal,
Le mal qu'il fit, il le fit bien.

ÉPITAPHE D'UN PERROQUET

Passant, ci-gît un perroquet,
Qui, vivant, eut beaucoup d'adresse ;
Mourant, il laisse son caquet,
Par testament, à sa maîtresse.

SUR DES TOMBES DE CHIENS

Avec raison, sous cet ombrage,
On a fait des tombeaux aux chiens,
Car s'ils n'avaient parfois la rage,
Ils vaudraient mieux que des chrétiens.

Théophile Gautier
(1811-1872). –
Poète, romancier et
critique, l'auteur du
Capitaine Fracasse
(1863) fut d'abord
un militant du
romantisme le plus
excentrique.
Admirateur de
Victor Hugo, il opta
finalement pour la
théorie de l'art
pour l'art, c'est-à-
dire la primauté
donnée à la beauté
formelle avec
Émaux et camées
(1852).

ÉPITAPHE DU GRAMMAIRIEN GILLES
MÉNAGE

Laissons en paix Monsieur Ménage ;
C'était un trop bon personnage
Pour n'être pas de ses amis ;
Souffrez qu'à son tour il repose,
Lui dont les vers et dont la prose
Nous ont si souvent endormis.

Bernard de La
Monnaye
(1641-1728). –
Érudit, membre de
l'Académie
française, il fut
aussi poète
(*Poésies françaises*,
1716).

ABONNÉ ABSENT

Ci-gît, tué par son bla-bla,
un bavard à jamais aphone
qui nous eût tout dit, sans cela,
sur l'au-delà par téléphone.

Jean Cuttat (né en 1916). – Poète suisse de langue française, il est l'auteur d'une œuvre importante où s'expriment, dans une langue harmonieuse, son humour, sa révolte, sa mélancolie (*Les Couplets de l'oiseleur*, 1967, *Poèmes du chantier*, 1970, *Le Poète flamboyant*, 1972).

ÉPITAPHE POUR UN BUVEUR

Il fut,
au but ;
il but
au fût.

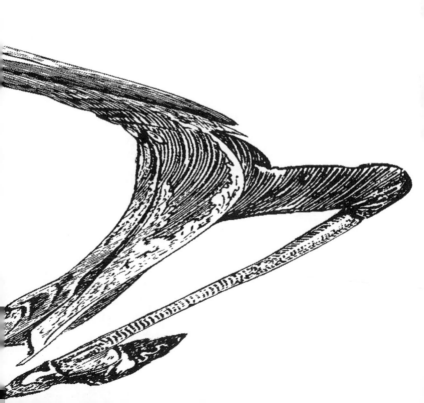

PASTICHES
ET PARODIES

LE PNEU CREVÉ

Le pneu de cette bicyclette
Par un caillou fut éraflé.
(Le recordman à l'aveuglette
avait, ce jour-là, pédalé.)

Et la légère meurtrissure
Dans le fragile caoutchouc,
D'une marche invisible et sûre,
A creusé lentement un trou.

Son air comprimé sur la route
Petit à petit s'est sauvé ;
Le pneu n'ira pas loin sans doute...
N'y touchez pas, il est crevé!

Alfred Béjot.
Il est l'auteur
d'un pastiche de
Sully Prud'homme
publié en 1893 dans
le journal satirique
Le Chat noir.

LE SONGE

La fruitière m'a dit : "La légume est plus chère,
Car le ressemelage encor a raugmenté."
Le charcutier m'a dit : "Le cochon exagère,
Car, au comptoir voisin, le pinard a monté."

Une poule m'a dit, dressant sa tête altière :
"Ponds toi-même tes œufs à l'heure du repas."
Le débitant m'a dit : "Dedans ma tabatière,
J'ai d'excellent tabac, mais tu n'en auras pas."

Plus avide de jour en jour, de proche en proche,
La main du mercanti fouille dans notre poche,
Pendant que dans sa poche opère une autre main.

Et la richesse, au jour d'aujourd'hui, n'est qu'un leurre.
Toujours, toujours plus haut, monte le prix du beurre,
Aujourd'hui plus qu'hier et bien moins que demain.

Georges de La Fouchardière (1874-1946). – Écrivain volontiers polémiste, il participa à la création du quotidien L'Œuvre (1916), dans lequel il écrivait chaque jour un "hors-d'œuvre", parfois en vers.

LE CID

Le palais de Gormaz, comte et gobernador,
est en deuil : pour jamais dort couché sous la pierre
l'hidalgo dont le sang a rougi la rapière
de Rodrigue appelé le Cid Campeador.

Le soir tombe. Invoquant les deux saints Paul et Pierre
Chimène, en voiles noirs, s'accoude au mirador
et ses yeux dont les pleurs ont brûlé la paupière
regardent, sans rien voir, mourir le soleil d'or...

Mais un éclair, soudain, fulgure en sa prunelle :
sur la plazza Rodrigue est debout devant elle !
Impassible et hautain, drapé dans sa capa,

le héros meurtrier à pas lents se promène :
"Dieu !" soupire à part soi la plaintive Chimène,
"qu'il est joli garçon l'assassin de Papa !"

L'ODYSSÉE

Ulysse ?
Que vouliez-vous qu'il fît
Contre Troie ?

DISCOURS DE LA MÉTHODE

Vous voulez une preuve
Que Dieu existe
Et que son œuvre
Est une réussite ?

C'est très simple, tenez :
Prenez
Descartes au hasard...

LA NUIT DE JANVIER

Quand Monsieur Pélican, lassé d'un long voyage,
Dans les brouillards du soir retourne à Palaiseau,
Il range son auto dans le fond du garage,
Il embrasse Madame (oh ! t'as froid le museau !)
Ses petits affamés de yéyé, leur passion,
Puis se jette devant sa télévision.

Tout reposait dans Eth et dans Jerimadur.
Il faisait chaud. Le ciel vibrait comme une lyre.
Dans l'ombre miaulaient des chattes en délire.
Des poules, sur un toit, picotaient du pain dur.

TABLEAU

Enclavé dans les rails, angoissé de scories,
Leur petit potager plaît à mes rêveries.
Le père est aiguilleur à la gare de Lyon.
Il fait honnêtement et sans rébellion
Son dur métier. Sa femme, hélas ! qui serait blonde
Sans le sombre glacis du charbon, le seconde.
Leur enfant, ange rose éclos dans cet enfer,
Fait des petits châteaux avec du mâchefer.
A quinze ans, il vendra des journaux, des cigares :
Peut-être le bonheur n'est-il que dans les gares !

SONNET D'ART VERT

Mon cadre a son secret, ma toile a son mystère :
Paysage éternel en un moment conçu !
Suis-je un pré ? Suis-je un lac ? Hélas, je dois le taire,
Car celui qui m'a fait n'en a jamais rien su.

Ainsi, je vais passer encore inaperçu,
Toujours assez coté, mais pourtant solitaire ;
Et mon auteur ira jusqu'au bout de la terre,
Attendant la médaille et n'ayant rien reçu.

Le public, quoique Dieu l'ait fait gobeur et tendre,
Va filer devant moi, rapide, sans entendre,
Malgré mon ton gueulard, mes appels sur ses pas !

Au buffet du salon pieusement fidèle,
Il va dire, en buvant son bock tout rempli d'ale :
"Quels sont ces épinards ?" et ne comprendra pas.

RUE PAUL VERLAINE

Je fais parfois le rêve étrange et pénétrant
d'une rue en étain blanchâtre et maternelle
l'un et l'autre trottoir palpite comme une aile
tandis que la chaussée a tout son poids d'étant

Les ruisseaux de plomb pur s'écoulent dans l'étang
qu'engloutit une bouche à béance immortelle
à chaque extrémité s'inscrit une marelle
que ne traverse point le vulgaire impétrant

Sous un ciel de titane un seul toit promeneur
lentement se déplace au-dessus des bâtisses
où grouille un animal qui ressemble à ma sœur

Calme en son sicamor incertaine et factice
cette voie a le charme amarante et boudeur
de pouvoir se plier sans perdre son odeur

PAUL FORT

Si toutes les rimes du monde voulaient
s'donner la main tout autour de Paul Fort
elles pourraient faire la ronde

Si tous les vers du monde voulaient chanter
Fort, hein, ils f'raient autour du Paul des tours
de mappemondes

Alors Paul Fort ferait mille et une ballades
autour des gars du monde qui lui tendraient les
mains.

HILARITAS

Chantez ; l'ardent refrain flamboie ;
Jurez même, noble ou vilain !
Le chant est un verre de joie
Dont le juron est le trop plein.

L'homme est heureux sous la tonnelle
Quand il a bien empaqueté
Son rhumatisme de flanelle
Et sa sagesse de gaîté.

Le rire est notre meilleure aile ;
Il nous soutient quand nous tombons.
Le philosophe indulgent mêle
Les hommes gais aux hommes bons.

Un mot gai suffit pour abattre
Ton fier courroux, ô grand Caton.
L'histoire amnistie Henri quatre
Protégé par Jarnicoton.

Soyons joyeux, Dieu le désire.
La joie aux hommes attendris
Montre ses dents et semble dire :
Moi qui pourrais mordre, je ris.

TABLE DES MATIERES

*Nous remercions les auteurs et éditeurs qui nous ont autorisé à reproduire textes ou fragments
de textes dont ils gardent l'entier copyright (texte original ou traduction). Nous avons par ailleurs,
en vain, recherché les héritiers ou éditeurs de certains auteurs. Leurs œuvres ne sont pas tombées
dans le domaine public. Un compte leur est ouvert à nos éditions.*

ICONOGRAPHIE

Le rire
en poésie
Supplément illustré
réalisé par
Sylvie Florian-Pouilloux

Y-a-t-il au monde quelque
chose de plus
désarmant, de plus
insolent, de plus déplacé,
de plus insultant, de plus
désastreux, de plus imprévu,
de plus irrépressible, parfois
aussi de plus épouvantable, de
plus énorme, de plus fou, fatal,
formidable, fort et réconfortant,
enfin de plus heureux, et même
bienheureux, en un mot
de plus étonnamment
merveilleux… que le rire ?
Chacun en convient
aisément, mais…

Qu'est-ce que le rire ?

Qu'est-ce que le rire ?

Le rire avant tout, c'est physique. C'est le corps tout entier qui se secoue, qui s'ébroue, qui jubile. La bouche s'ouvre largement, les yeux se plissent, l'air des poumons est expulsé brusquement, les membres supérieurs s'animent, aucune partie de nous-même n'échappe à la vague de gaieté qui s'empare malgré nous de nous ! Il y a bien quelque chose de fou dans le rire, ce dont témoigne d'ailleurs l'expression un fou rire. Il y a quelque chose de déraisonnable dans ces étranges secousses physiques qui paralysent pendant quelques minutes toute notre activité. Le rire apparaît comme cela, tout d'un coup sans qu'on puisse l'empêcher, ou le rendre plus discret. Il est absolument incontrôlable !

1. Vous sauriez certainement raconter une scène de fou rire familial. Rappelez vos souvenirs et essayez de mettre en valeur le moment où le rire a déchaîné l'hilarité de tous.

D'où vient-il ?

N'est-ce pas d'une situation comique, d'un jeu de langage, d'un quiproquo qui nous intrigue,

ou nous arrête ? Mais alors le rire
n'est pas seulement physique.
Il traduit aussi une activité de
notre esprit. Et il réalise ainsi
l'union entre l'âme et le corps.
Il faut donc questionner cet
étonnant phénomène.
Comment apparaît-il,
quelle place
occupe-t-il
dans notre
quotidien ? Le
mot même est à la
source de nombreux
proverbes et
expressions : *Tel qui rit
vendredi, dimanche
pleurera... Rira bien qui
rira le dernier, rire sous
cape, rire jaune* etc.
Interrogeons les mots et
les poètes, peut-être ont-
ils la clé du rire...

1. Essayez de mélanger les
proverbes et expressions ci-
dessus. Vous obtiendrez des
réponses aussi farfelues que
: *Tel qui rit le dernier demain
rira sous cape...*

2. Puis vous irez chercher
la définition du mot "absurde"
dans le dictionnaire. Et vous
vous demanderez si
l'absurde
et le rire qu'il déclenche ne
permettent pas parfois de
se moquer des gens
sérieux...

Le rire, un merveilleux atout

Pour Victor Hugo, le rire accompagne l'homme tout au long de sa vie, il le réjouit et il l'apaise. Rire souvent permet de mieux supporter les difficultés de la vie, les mauvais hasards, et les deuils qui surviennent. Comme l'écrit le poète dans *Hilaritas*, page 146 :
Le rire est notre meilleure aile; Il nous soutient quand nous tombons.

Il se révèle non seulement notre meilleur allié, celui qui nous porte, mais il montre aussi d'une certaine manière notre bonté. Voilà pourquoi :
Le philosophe indulgent mêle les hommes gais aux hommes bons.

Un homme qui rit ne peut déplaire à Dieu, écrit encore notre auteur :
Soyons joyeux, Dieu le désire.
La joie aux hommes attendris
Montre ses dents et semble dire:
Moi qui pourrais mordre, je ris.

1. Écrivez un dialogue entre deux personnages au départ très en colère et qui, au lieu de se battre, finissent par éclater de rire.

Bon vin, bonne table

Le rire qui apporte ces merveilleux moments de détente prendrait ainsi sa source dans un état particulier de bien-être, terreau propice à son déchaînement. Est-ce donc la joie qui provoque le rire ? Non pas… Du moins pas toujours, car la joie est parfois grave, un heureux mariage par exemple émeut mariés et parents, fait naître des larmes de joie, mais non le rire. Qu'est-ce qui l'entraîne alors si ce n'est la joie qui y prédispose ? Faut-il pour le favoriser des amis, une bonne table, du bon vin ? Sans doute. Tout cela est nécessaire mais n'explique pas pourquoi à tel moment précis, nos mâchoires s'ouvrent largement et des spasmes nous secouent tout entiers.

1. Dessinez, puis utilisez votre palette de peinture. Et donnez des couleurs à la table où l'on rit. Les plats, les vins, les amis… Rien ne doit y manquer.

Les bizarreries de la vie, et le rire du bizard

On se rappelle ces célèbres répliques de Louis Jouvet : *Comme c'est bizarre, comme c'est étrange. J'ai dit bizard ? Bizard, bizard…* Il semble bien qu'à la source du rire, nous puissions remarquer une situation isolite, bizarre, qui bouscule nos habitudes, notre façon de voir, qui nous surprend. Pas n'importe quelle bizarrerie cependant, car la prestidigitation nous paraît étrange sans pour autant faire rire. Mais la mouche qui louche, par exemple, (*La mouche qui louche* de Jean Orizet, page 66) nous ne pouvons l'imaginer sans sourire. C'est de l'imaginer, c'est de nous la représenter qui nous fait rire. N'est-ce pas pour cette raison que nous adorons la foumi de dix-huit mètres de Robert Desnos et, du même auteur, dans notre recueil, la délicieuse araignée à moustache qui ne se rasera jamais ?

1. Les auteurs de littérature pour la jeunesse utilisent souvent cette façon de faire. Ils dénaturent un animal en lui attribuant un trait physique ordinairement propre à l'homme. Dans *Les Contes de la rue*

Broca, Pierre Gripari affuble ainsi
un animal, voyez-vous lequel ?
Cet animal figure dans un conte
aujourd'hui célèbre.
Si vous ne l'avez pas lu,
comblez vite cette lacune.
Vous en trouverez le titre
à la page des solutions.

2. De plus, au début de ce
recueil, dans un très
extraordinaire château, un
narrateur très malin va
dénicher des animaux
en des lieux
fort étonnants.

Sauriez vous retrouver et citer
ce poème ?
3. Certaines des associations
(animal-lieu) font plus rire que
d'autres,
pourquoi
d'après vous ?

Réponse inattendue

Le rire, selon le philosophe
Hegel, est un signe. Signe que
nous sommes assez malins pour
sentir que quelque chose
résiste. Et pour comprendre
ce qui ne va pas. Voici par
exemple un dialogue de film.
Pointant le doigt sur la foule,
alors qu'il se voit refuser l'entrée
d'un cabaret à la mode, un
monsieur très grossier
s'exclame avec colère :
« Eh ben voilà, c'est gagné ! Ya
plus qu'à rester entre "cons"! »
Imperturbable et méprisant, le
portier lui répond : « C'est cela,
mon ami, demeurez entre
"cons"... »
  Ce qui choque ici, ce sont
  deux manières de parler

qui ne vont pas ensemble. On appelle cela un contraste de tons. L'un des interlocuteurs, en effet, dont l'un se montre très mal élevé, tandis que l'autre s'exprime avec beaucoup de distinction. Il tient aussi à la colère du premier personnage opposée au calme du portier, et au fait que ce dernier appartienne à une classe sociale dont on n'attend pas – en principe – cette élégance de langage (demeurez). Il y a opposition entre deux niveaux de langue différents : *rester* (langage courant) et *demeurer* (langage soutenu). Enfin tous ces contrastes culminent dans le dernier, celui entre *demeurer* (langage soutenu) et *cons* (langage très grossier) qui du coup nous paraît infiniment cocasse. C'est à la fois le plaisir que nous éprouvons à nous savoir bien élevés, et celui que nous aurions, si nous l'osions, à être grossiers, qui déchaîne l'hilarité.

1. Souvent les auteurs se vengent de ceux qui les ont fait souffrir dans leur jeunesse en inventant des personnages ridicules. C'est le cas de Roald Dahl. Choisissez un passage de *Matilda*, celui, par exemple, où Matilda terrorise sa directrice d'école. Lisez-le à haute voix, plusieurs fois, puis demandez à le lire en classe. Rappelez-vous que vous devez faire rire le plus d'élèves possible. N'hésitez pas à exagérer.

Le secret du contraste

Nous avons apprécié un contraste de ton. Il en existe également entre l'apparence et la réalité, entre la forme et le fond, entre le sens moral et le sens pratique etc. D'une manière générale, on peut distinguer deux temps dans le rire : le contraste proprement dit et le moment où l'on se représente les parties opposées qui le forment. Prenons un autre exemple. Nous voyons

un homme faire un effort démesuré pour enfoncer une porte... ouverte! Le contraste provient ici de la grandeur de l'effort produit par rapport à l'effort nécessaire pour ouvrir une porte. Mais il y a aussi le moment où s'opère en nous la compréhension de ce contraste, compréhension de la surprise qui, nous le devinons, attend l'homme qui s'est préparé à l'effort!

1. Sauriez-vous inventer une situation d'un comique à peu près semblable?

Marchand de canons

Dans le poème *Les Temps difficiles* de Jules Mougin, p. 46, un marchand de canons gagne honnêtement sa vie grâce aux guerres qui pourtant tuent ses concitoyens.

Il y a là un premier conflit d'intérêt. Mais celui-ci ne prêterait pas à rire sans un deuxième contraste : la morale voudrait en effet qu'on blâme le marchand de canons et qu'on se réjouisse de sa faillite. Or contre toute attente, le poète présente ce marchand comme un pauvre homme accablé de soucis :

Un marchand de canons avait des soucis… Le contraste s'augmente d'une opposition entre le caractère terrible de la guerre souhaitée par le marchand et la forme désinvolte de sa prière :

Pour soulager sa peine et sa misère… (le marchand de canons) *faisait une prière… pour que, pour que la guerre, la guerre enfin, quoi … la guerre arrange… ses affaires.* Apparaît alors avec force, à travers l'égoïsme naïf de notre marchand, le cynisme tranquille de tous les marchands de canons. Nous retrouvons bien une condamnation morale, mais originale. Cette condamnation porte sur l'être, elle souligne la corruption profonde de ceux qui vendent des canons plus qu'elle ne s'intéresse au détail de leurs activités.

1. Vous trouverez dans le recueil de nombreux exemples d'une ironie semblable.

Un contraste cocasse

Le plaisir et la découverte progressent un peu de façon semblable dans *Le Tigre et le curé* de Jean-Luc Moreau. Le débat porte sur le sens du mot *chrétien*. Si le tigre, par nature, dévore ce qu'il rencontre, le curé, par nature, pratique la charité, l'idée qu'ils se font de ce qui est chrétien ne peut que différer.

Le contraste provient ici de l'extrême fragilité du curé et de sa gentillesse un peu naïve, par rapport à la cruauté sans complexe du tigre. Cette différence entre les deux personnages nourrit le rire. Car il y a là une ironie, et même une critique à l'égard de l'homme de Dieu, et peut-être même du clergé tout entier. N'y a-t-il pas en effet beaucoup de naïveté à supposer que les mots aient le même sens pour tout le monde ? N'y en a-t-il pas beaucoup à penser que Dieu (Le Très-Haut) préfère l'homme à l'animal ? Pourquoi la raison de l'homme serait-elle la meilleure ? Et si le tigre symbolise les méchants, hommes compris, un petit curé tout seul peut-il les convertir au principe de charité ? Ne faut-il pas lutter contre le mal autrement que par de belles paroles ?

1. Et comme aux contrastes de caractère font écho ceux de la langue, en vous appuyant sur le début de ce paragraphe, vous soulignerez une différence de ton entre le vocable "le Très-Haut" et le verbe "débrouille".

2. Comprenez-vous maintenant ce qui fait rire lorsque le fauve s'agenouille et soupire : "Seigneur... bénissez ce repas." Pourriez-vous montrer comment l'effet est amené, souligner par exemple les mots qui caractérisent le curé, puis le tigre ?

3. Vous avez découvert qu'il faut plus d'un contraste pour amuser le lecteur. Vous saurez donc revenir à *L'Araignée à moustache,* p. 89, et trouver tous ceux que nous n'avons pas mentionnés.

4. Le personnage du curé fait penser à un philosophe célèbre dans la littérature, un philosophe mis en scène par Voltaire dans *Candide.* Quel est le nom de ce philosophe ?

L'absurde ou la contradiction logique

Parmi les ficelles du rire, ce qu'on appelle les ressorts du rire, il faut maintenant aborder celui

de la contradiction logique. Celle-ci se produit lorsque deux idées qui s'excluent l'une l'autre se présentent à nous en même temps. Cela provoque une sorte de choc, d'ahurissement. Dans le poème de Jacques Bens les deux idées contraires

sont la modestie et la prétention, mais c'est lorsque Bens assure avec applomb "objectivement, moi je me trouve modeste", que nous rions car, de toute évidence, une personne modeste ne metrrait pas tant de conviction à crier sur tous les toits qu'elle l'est.

On peut aussi se persuader que la contradiction absurde fait rire en appliquant à la lettre les conseils de Tristan Tzara page 31.

Tzara nous suggère, pour obtenir un poème dadaïste, d'assembler les mots au hasard. On les écrit, on les découpe, on les met dans un chapeau et on agite tous les petits morceaux. Après cela on les tire un par un et on essaye en les sortant de leur trouver un sens.

1. Jouez avec vos amis. Pour plus de facilité vous pouvez sortir les mots quatre par quatre. N'oubliez pas d'écrire des verbes.

2. C'est aussi le principe du cadavre exquis qui date à peu près de la même époque, l'époque des poètes surréalistes, au début du XXe siècle. Voilà d'ailleurs une belle contradiction ! Avez-vous déjà vu des cadavres exquis ? Le jeu du cadavre exquis se pratique à

original et d'une sensibilité charmante, encore qu'incomprise du vulgaire.
A qui cette ironie s'adresse-t-elle, selon vous?

Mots d'enfants

Les contradictions nous font rire aussi dans les mots d'enfants. Les mots d'enfants nous surprennent souvent par un contraste très fort entre la vérité de ce qu'ils disent et la naïveté avec laquelle ils le disent. On le remarque à deux reprises dans notre recueil. Il s'agit de Jeanne, la petite-fille de Victor Hugo (page 97). Le poète lui a demandé ce qu'elle voulait voir, elle a répondu de gros animaux, mais son grand-père ne pouvant lui en montrer a dit, quoi d'autre, Jeanne, quoi d'autre? *Alors Jeanne au ciel leva son petit doigt. – Ça, dit-elle. C'était l'heure où le soir commence. Je vis à l'horizon surgir la lune immense.* Jeanne veut la lune. Cela nous amuse, parce qu'au fond de nous, nous la voulons aussi. Et puis cela nous amuse aussi parce que Jeanne au départ veut de gros animaux et que ce n'est pas très facile à trouver; c'est bien pour cette raison que son grand-père lui demande ce qu'elle veut d'autre.

plusieurs. Chacun écrit un nom, cache le nom écrit, passe la feuille à un camarade qui écrit ensuite un adjectif, cache ce qu'il a écrit, passe à un autre pour ajouter un verbe, etc. Le résultat obtenu risque de vous surprendre! Et pourtant... N'y a-t-il pas une poésie du hasard?

3. En corrigeant un peu ce qui est venu au hasard, ne pouvez-vous écrire un très beau poème?

4. Vous pouvez également organiser un petit débat. Car après tout l'originalité existe-t-elle? Que pensez-vous de l'ironie finale du poète? *Vous voilà un écrivain infiniment*

est attendri par sa petite-fille ? Relisez le poème et essayez de répondre à cette question.

Une si grande tendresse

L'amour qui unit Victor Hugo à sa petite-fille est aussi perceptible dans le poème *Jeanne au pain sec dans le cabinet noir* (page 98). En effet, alors que le grand-père qui a volé au secours de l'enfant est grondé par les parents de Jeanne, celui-ci demande à être mis au pain sec comme l'enfant. Alors Jeanne lui murmure doucement :
Eh bien, moi, je t'irai porter des confitures.

On s'attendait à une réponse plus raisonnable, un petit animal, un jouet. Mais Jeanne qui ignore ce qui est raisonnable ou pas, qui admire son grand-père et le croit capable de réaliser ses souhaits les plus fous demande quelque chose de plus difficile encore à trouver que de gros animaux. Et cela nous amuse d'autant plus que vouloir la lune, nous le savons bien, c'est vouloir tout.

1. A quoi voit-on que le grand-père de Jeanne

Jeanne met sur le même plan la gourmandise de son grand-père et la sienne, les soucis des tout petits enfants et ceux des grands-parents, comme s'ils partageaient toujours les mêmes joies et les mêmes tristesses.

1. Jeanne a-t-elle tort de penser ainsi ? N'y a-t-il pas une forme de vérité dans son comportement ?

2. Relisez la phrase qu'écrit Victor Hugo à propos de la sévérité des parents.

Les parents qui ont la charge d'élever et d'éduquer leurs enfants se montrent souvent sévères. Ils punissent parfois leurs enfants comme s'il s'agissait de grands criminels et ne supportent pas l'indulgence des grands-parents qui n'ont pas ce souci éducatif. *C'est avec ces indulgences-là qu'on a toujours conduit les peuples à leur perte*, pensent-ils... Comment interprétez-vous cette phrase ?

Le poète ne manifeste-t-il pas, ici, à l'égard des jeunes parents, une tendre ironie ?

L'épigramme

Dire du mal de quelqu'un, quoi de plus agréable ?

Les auteurs comiques dénigrent souvent un personnage afin de le rendre désopilant. Ils font apparaître les failles de son caractère par l'intermédiaire de lapsus ou de conduites qui prêtent à rire. On retrouve souvent ce mécanisme dans les films de Charlot ou des Marx Brothers. Pour la plus grande joie du public, le réalisateur y montre des individus dont la dignité apparente, disons même la prétention, cache beaucoup de petitesses. L'épigramme est de la même nature. Elle ravit le lecteur. Car l'auteur y égratigne quelqu'un de désagréable et souvent de très connu. Or le lecteur éprouve toujours un grand plaisir à voir révélés les défauts des autres surtout lorsqu'ils sont graves. Du coup il s'identifie à l'auteur et fait sienne sa délicieuse méchanceté. C'est le cas du poème sur le cardinal de Richelieu, page 129.

L'épigramme utilise les jeux de mots, ici la construction symétrique de l'opposition (bien/mal) afin de rendre les accusations les plus cruelles possibles.

1. Quant à vous, confondez vos ennemis en construisant de plaisantes épigrammes ! Mais rappelez-vous que pour être méchant il faut être drôle et que, pour être drôle, il faut aussi que l'accusation soit justifiée.

Vous pouvez commencer par imiter le modèle de la page 129.

La parodie

Le grand plaisir de la parodie tient au fait que l'on puisse y admirer à la fois le sérieux ou la beauté du modèle original et l'insolence comique de l'imitation. Ainsi dans le poème *Rue Paul Verlaine* de Raymond Queneau, les vers :
Je fais parfois le rêve étrange et pénétrant /d'une rue en étain blanchâtre et maternelle...
sont une allusion à deux vers très musicaux et très célèbres de Verlaine :
Je fais souvent ce rêve étrange et pénétrant/ d'une femme inconnue et que j'aime et qui m'aime...
On découvre ici que la culture littéraire ne sert pas seulement à obtenir de bonnes notes à l'école ou à briller en société. Elle sert aussi à s'amuser. Il faut en effet bien connaître l'œuvre de Verlaine pour apprécier le poème de Queneau et en sourire. Ceux qui ne connaissent pas Verlaine trouveront *Rue Paul Verlaine* assez absurde. Mais pour ceux qui reconnaissent les vers d'origine l'absurdité apparente prend une signification savoureuse.
1. Découvrez Verlaine, par exemple les *Romances sans paroles* : *Il pleure dans mon cœur comme il pleut sur la ville*, ou : *O triste, triste était mon âme...* Et puis écrivez à la manière de, parodiez à votre tour Verlaine.

La nuit de janvier

Vous découvrirez d'autres références littéraires dans *La Nuit de janvier* de Bernard Lorraine (page 140).
1. Le premier vers
Quand Monsieur Pélican lassé d'un long voyage... rappelle le vers d'un poème célèbre. Avez-vous deviné lequel ?
2. Sauriez-vous également apprécier l'humour et la drôlerie du poème *Le Cid,* de Georges Fourest, page 139 ? Retrouvez la tirade originelle des plaintes de Chimène. Voyez-vous une différence de ton entre ce poème-ci et l'original ? Pourquoi, d'après vous ? La dernière phrase résume-t-elle la pensée de Chimène ? Ne semble-t-elle pas escamoter une réalité terrible ? Quelle est cette réalité ?

Jeux

Les clowns

Voici un poème en alexandrins. Avant de pouvoir commenter la disposition des rimes, vous devrez replacer toutes les expressions manquantes en vous aidant de la liste qui figure à la fin du poème.

Alors qu'au loin la lune éclairait leurs agapes,
Les clowns réunis s'amusaient entre amis
Aux moindres plaisanteries, certains (......);
Montrant leur gros nez rouge et leur visage blanchi
D'autres dansaient sur place avec vivacité
Et de (......) se croyaient obligés.
Ils en (......) à gorge déployée.
On se passait des plats en s'essuyant les yeux
Car rire tant que ça pouvait faire des envieux
Pendant quelques minutes on prenait pour pass'temps
De (......).
Mais les bons mots fusaient
Et chacun s'esclaffait.
Tant pis pour les jaloux qui mesuraient à l'aune
De l'ennui leur valeur et qui donc (......)
Les clowns réunis se disaient entre amis
plus on est d'fous mamie et bien sûr (......).
A cela, ajoutaient plein de sagacité :
Tel qui pleure vendredi,(......).

Qui se rit de la vie ne fera pas choux gras,
Et bien sûr rira bien qui (......).

A. *Rira le dernier, dimanche rigolera, plus on rit, pleuraient de rire, rire aux éclats, riaient sous cape, rire du bout des dents, riaient jaune,*
B. *Tel qui pleure vendredi, dimanche rigolera...* Ce proverbe vous paraît-il juste ? Sauriez-vous retrouver le véritable proverbe, que celui-ci a transformé ?

Étrange abécédaire

Certains poètes portent plus particulièrement leurs efforts sur la rime, d'autres sur l'euphonie.
Dans le poème suivant, nous nous sommes intéressés, quant à nous, à la première lettre des mots. Nous avons, en effet, choisi ceux-ci de façon qu'ils reproduisent dans leur succession, l'ordre de l'alphabet. Ils s'échelonnent de A à Z (au maximum quatre mots par lettre) en respectant rigoureusement l'ordre de l'alphabet et sans cesser pour autant de de signifier quelque chose. Il s'agit des aventures de Berthe, de ses amis, et du beau bébé qu'elle bat.

Nous nous sommes arrêtés au k, à vous de terminer cette singulière aventure.

Ah, aïe,
Belle brebis bêle : bée ! Berthe bat beau bébé. Bâton Chercher ! Corriger cette crétine. Douce dingue, dis-donc danger ! Défense dévorer dodu doudou. "Epiquoi encore !"
Fulmina Fabienne furieuse, Grignotant gros, gras, grands Haricots humides.
Irresponsable idiote ! Imploreras judicieux juges : jette jamais joyeux jeunot jouant ! Joufflu jeunot, jamais
K.O

1. Continuez le texte jusqu'à la lettre z.
2. Relevez les synonymes de bébé dans le texte. Pouvez-vous en trouver d'autres avec des lettres initiales différentes ?
3. Que pensez-vous du terme *épiquoi* ? Vous trouverez ce genre de liberté prise avec l'orthographe chez des contemporains comme Bobby Lapointe (*Une angevine de poitrine*).

Le carré pointu

Les philosophes se moquent souvent de ceux qui raisonnent mal en prétendant qu'ils cherchent inutilement les propriétés du cercle carré. Mais au poète, Robert Desnos, tout est permis, même d'imaginer que la terre est pointue. Et vous ? Maîtrisez-vous le cercle, le carré, et les autres figures ? Sauriez-vous par exemple doubler la surface d'un carré de deux sur deux ? Comment vous y prendriez-vous ? Rappelez-vous que Socrate, il y a bien longtemps, l'avait fait découvrir à son esclave Ménon et ne vous laissez pas impressionner !

Charade

1. Mon premier est une note de musique, mon deuxième également, comme mon troisième, mon quatrième et mon cinquième.
Mon tout qualifie certaines pommes de terre.
2. En assemblant différemment les syllabes du "tout" de cette charade, vous obtiendrez au moins trois nouveaux sens.

Solutions du dossier

Les bizarreries de la vie, et le rire du bizard
1. A. *La Grenouille à cheveux*. **B.** *La Sorcière de la rue Mouffetard*
2. *Le Château de Tuileplatte* de Glyraine.

Marchand de canons
La Statue d'homme d'État, page 61 ou *Le Corbeau et le Renard*, page 80

Un contraste cocasse
4. Le philosophe Panglos, personnage de *Candide* de Voltaire, inspiré du véritable philosophe : Wolff.

L'absurde ou la contradiction logique
4. L'ironie s'adresse aux poètes qui se prennent trop au sérieux, afin de les rappeler à une certaine modestie.

Mots d'enfants
La comparaison attendrissante entre le tout petit doigt de Jeanne et la grosse lune.

La nuit de janvier
1. L'histoire : le Pélican et aussi le vers de Du Bellay: *Heureux qui comme Ulysse a fait un beau voyage...*
2. Rodrigue a en effet tué le propre père de Chimène, voir *Le Cid* de Corneille.